Assorted Words 1

```
T  Y  M  O  C  R  E  T  N  I  C  F  L  X  M
D  X  C  P  R  E  Y  S  U  Q  O  R  M  F  A
S  E  T  A  I  R  A  L  T  I  M  J  E  O  G
S  N  L  G  L  X  G  T  I  R  M  D  T  R  N
G  N  O  L  N  L  C  R  E  P  E  E  H  M  E
R  N  O  I  E  I  A  K  T  G  N  V  O  U  T
O  D  I  I  T  V  T  F  N  R  S  A  D  L  I
U  J  R  D  S  A  R  O  V  G  U  L  O  A  Z
S  A  S  I  E  S  R  A  N  K  R  U  L  T  I
I  M  O  D  B  E  I  E  M  Z  A  A  O  I  N
N  B  Z  O  J  B  N  M  T  W  B  T  G  O  G
G  S  O  M  J  H  L  U  M  I  L  I  Y  N  N
E  P  E  R  U  T  A  E  F  O  E  O  E  E  E
R  E  N  N  A  M  B  O  S  W  C  N  C  O  O
B  X  B  H  A  B  I  T  U  A  L  U  C  S  S
```

ADVERTS
COMMENSURABLE
COMMISSIONS
CREPE
DEVALUATION
DRIBBLES
FALLACY
FEATURE

FORMULATION
GROUSING
HABITUAL
INTERCOM
ITERATIONS
JAMBS
LARIAT
MAGNETIZING

MANNER
MARVELLED
METHODOLOGY
NEEDING
NOTING
PREYS

Assorted Words 2

```
L G D L K F G N I Y V N E M S
K Z C I Q O R T H O P E D I C
D C K L P R O V I D E R N S R
P C A T A L Y Z I N G G M A U
I M L B C S O H O K G O E M T
S T C U E S S M E D F G D O I
C R R G M M R R A A E S I V N
A U E Y R P O E O T V D A A I
T C P K B A S C S O I Y N R Z
O K L Q C S D Q L O M C S E E
R L I I G O U E Y X P M D E P
I E E S Q Z M B R I Q M Z G T
A E S W S F F U T S D O O F W
L Y R A T E N O M X K P X C Y
X I Y R E G R U S O R C I M F
```

BUSBY	FOODSTUFFS	PENDED
CATALYZING	GRADERS	PISCATORIAL
CLASSROOM	HEAVYSET	PROVIDER
CLUMPS	MEDIANS	REPLIES
COMEBACK	MICROSURGERY	SAMOVAR
COMPOSERS	MOCKERS	SCRUTINIZE
DIPLOMATIC	MONETARY	TRUCKLE
ENVYING	ORTHOPEDIC	

Assorted Words 3

```
H  C  T  E  L  O  H  N  A  M  S  O  I  J  E
A  B  R  B  D  I  A  G  N  O  S  E  S  Z  G
N  M  B  W  D  Q  H  S  E  S  U  R  E  V  O
D  G  R  S  G  O  S  C  B  S  P  A  R  E  D
S  J  F  N  P  N  W  D  I  S  T  A  F  F  V
H  U  L  M  V  O  I  N  N  H  J  S  G  S  P
A  R  O  C  S  A  T  E  S  E  C  L  M  F  R
K  E  O  I  N  I  N  L  U  T  T  G  X  N  E
I  C  D  F  R  P  T  O  L  L  A  N  F  A  F
N  E  L  I  P  U  G  U  D  I  B  I  I  Q  I
G  S  I  Q  N  X  F  J  A  Y  H  P  R  B  X
V  S  G  N  K  M  D  E  C  E  N  C  Y  S  I
Z  I  H  O  N  L  A  B  E  L  L  E  D  C  N
H  O  T  R  E  N  I  L  D  R  A  H  J  T  G
H  N  S  R  J  Y  S  T  N  E  N  A  M  M  I
```

ALLOT	DOWNSTAIRS	LABELLED
ANODYNE	FLOODLIGHTS	MANHOLE
AUTISM	FURIOUS	OVERUSES
BLUEING	HANDSHAKING	PREFIXING
CHICHI	HARDLINER	RECESSION
DECENCY	HILLTOPS	SPARED
DIAGNOSES	IMMANENT	
DISTAFF	INTENDS	

Assorted Words 4

```
S  E  V  I  T  I  G  U  F  J  H  P  G  S  W
R  E  T  R  O  G  R  A  D  I  N  G  Y  P  S
D  E  D  N  A  M  E  R  D  D  Y  G  Z  E  H
N  D  C  R  S  C  I  T  R  A  H  T  A  C  O
F  E  E  L  E  E  V  S  K  B  P  H  G  T  P
P  O  D  R  G  N  I  H  C  A  T  E  D  A  L
M  L  U  D  O  S  C  R  I  H  P  C  P  C  I
S  E  U  N  U  S  E  U  A  R  S  T  M  L  F
O  B  R  C  T  S  N  T  M  U  E  I  Y  E  T
M  Q  A  C  K  A  C  O  A  B  Q  C  L  S  E
E  Q  B  U  H  I  I  R  P  C  E  I  T  W  R
T  L  B  J  V  A  N  N  O  S  N  R  T  A  O
I  F  I  X  J  X  N  E  E  O  O  U  I  N  L
M  I  S  H  E  I  K  T  S  D  G  C  R  N  A
E  S  E  Q  U  O  I  A  S  S  T  E  W  T  G
```

ANTIQUARIES	MERCHANTS	SEQUOIAS
CATHARTICS	OWLISH	SHEIK
COSPONSORED	PLUCKINESS	SHOPLIFTER
DETACHING	RABBIS	SOMETIME
ENCUMBERING	RECTAL	SPECTACLES
FOUNTAINED	REMANDED	SUDDEN
FUGITIVES	RETROGRADING	TRUNCATES
HECTIC	SCROOGE	

Assorted Words 5

```
R  E  P  U  B  L  I  C  M  A  Y  D  A  Y  S
S  L  W  O  R  G  K  U  M  V  A  G  I  N  A
I  N  T  E  N  D  E  D  S  K  C  I  R  T  U
A  C  O  G  H  F  E  R  S  T  R  I  D  E  I
I  O  E  I  E  F  P  F  E  E  Q  N  G  F  I
N  N  M  G  T  O  S  B  F  B  G  A  K  S  S
C  T  P  O  D  A  L  A  R  M  I  N  G  L  Y
U  R  A  X  U  E  C  O  R  E  D  N  A  I  R
L  A  P  J  U  N  L  S  G  E  D  J  D  R  I
P  V  P  G  W  F  T  S  I  I  T  L  Q  S  P
A  E  E  N  P  Y  V  A  O  F  C  O  O  J  P
T  N  D  Z  H  D  U  D  I  M  N  A  O  B  E
I  E  O  U  T  R  A  G  I  N  G  O  L  C  R
N  O  I  T  P  E  C  R  E  P  S  B  C  T  S
G  I  A  L  I  V  E  R  I  E  S  A  I  Q  H
```

ADOPT	INTENDEDS	RANGES
ALARMINGLY	KEEPS	REBINDS
BOLDER	LIVERIES	REPUBLIC
CONFISCATIONS	MAYDAYS	RIPPERS
CONTRAVENE	MOUNTAINS	SCOOTER
GEOLOGICAL	OUTRAGING	SLEDGE
GROWLS	PAPPED	STRIDE
INCULPATING	PERCEPTION	TRICKS

Assorted Words 6

```
V  C  Y  R  A  T  I  L  I  M  A  R  A  P  P
O  L  S  E  A  S  C  A  P  E  S  O  N  O  I
X  G  S  C  P  F  L  P  R  N  E  C  Z  M  N
I  S  U  E  R  P  A  A  U  O  Y  O  B  P  P
D  E  T  N  I  L  G  Y  N  S  C  T  A  O  O
L  D  V  S  D  C  X  A  N  E  S  T  T  N  I
F  U  E  I  I  E  A  N  V  G  S  E  N  T  N
A  T  F  D  T  O  T  R  S  A  N  R  R  I  T
L  Y  E  K  N  C  B  B  C  Y  C  I  A  U  S
S  Z  Y  E  N  A  A  O  U  U  R  C  E  I  C
E  J  W  W  F  A  M  R  U  O  A  P  I  E  I
N  A  P  Y  R  E  H  E  E  A  D  E  N  N  T
E  J  A  B  B  E  R  T  D  P  D  E  R  W  E
S  S  S  E  N  I  R  O  G  N  Y  J  R  U  S
S  E  C  R  E  T  E  N  F  Z  Q  H  U  H  B
```

ARSENALS	GORINESS	REDOUBTED
BUREAUCRACIES	HYPERACTIVE	SEASCAPES
COTTER	JABBER	SECRET
CURES	NOSEGAY	TEEING
DEMANDED	OBOISTS	THANKFUL
FALSENESS	PARAMILITARY	VACCINE
FOREFEET	PINPOINTS	
GLINTED	POMPON	

Assorted Words 7

```
N  T  I  E  D  I  U  G  S  I  M  P  F  Q  H
N  S  Z  N  X  D  O  P  T  I  C  I  A  N  A
P  E  S  T  T  T  M  A  S  O  N  I  C  P  Z
O  G  M  N  G  E  R  M  I  N  A  L  Y  G  A
L  P  H  E  O  E  N  A  S  R  E  F  E  E  R
Y  D  B  E  S  O  L  S  P  M  W  B  P  G  D
H  G  L  C  F  E  G  H  I  O  X  R  L  L  I
E  I  N  R  E  K  S  A  A  F  L  L  E  U  N
D  Z  I  I  G  M  A  G  R  B  I  A  A  M  G
R  Z  B  N  F  N  E  G  K  D  P  E  T  M  N
A  A  G  K  K  E  W  E  A  R  Y  N  D  E  A
M  R  L  L  S  N  I  D  N  W  J  P  D  R  S
H  D  W  Y  D  Z  C  R  A  N  N  Y  Y  C  Z
S  M  A  R  G  O  R  P  B  C  D  C  O  M  O
I  S  S  H  A  R  P  S  E  L  O  H  Y  E  K
```

BRIEFING	HAGGED	PLEAT
CRANNY	HAZARDING	POLYHEDRA
CRINKLY	INTENSIFIED	PROGRAMS
DRAGOONS	KEYHOLES	REEFERS
EXTRAPOLATES	MASONIC	SHARPS
GERMINAL	MISGUIDE	WEARY
GIZZARD	NEMESES	
GLUMMER	OPTICIAN	

Assorted Words 8

```
M  M  P  G  O  W  E  U  V  G  L  Q  N  A  S
E  O  A  A  N  B  C  N  N  R  E  W  E  L  A
S  N  N  N  T  I  J  A  E  Y  O  N  V  F  F
H  G  Y  T  T  T  R  E  U  R  V  C  D  L  W
I  E  W  I  A  H  E  A  C  S  V  W  K  E  I
N  R  H  Q  C  S  R  N  E  T  E  A  P  E  R
G  I  E  U  L  I  S  O  T  B  O  G  T  C  T
M  N  R  I  Y  C  N  E  P  I  D  R  Z  E  X
Y  G  E  N  W  T  P  C  L  O  O  L  D  D  D
D  A  S  G  L  M  S  Y  T  B  L  N  I  C  K
R  E  W  O  L  L  A  A  T  U  I  O  S  H  Q
L  O  N  A  M  O  J  C  E  F  R  D  G  E  C
B  J  L  W  R  L  T  M  W  Y  S  E  E  Y  X
I  V  N  J  A  A  K  T  W  Q  G  E  L  R  S
T  S  P  X  J  P  F  R  O  G  M  E  N  B  C
```

ANTHROPOLOGY	ENERVATED	MONGERING
ANTIQUING	FARAWAY	OBJECTOR
ANYWHERES	FLEECED	PAWNED
ATTENTIONS	FROGMEN	ROCKET
CAUSE	GENDER	TASSEL
CHILDBEARING	LOTTO	YEASTY
CINCTURE	LOWER	
CREDIBLE	MESHING	

Puzzle #9

Assorted Words 9

```
J  K  S  H  O  R  T  C  O  M  I  N  G  S  V
N  O  I  T  A  T  I  S  E  H  M  I  R  R  R
Y  V  S  C  A  M  P  I  P  F  T  F  C  I  E
K  R  Z  P  U  R  S  U  E  D  E  D  Q  W  C
S  P  L  O  T  C  H  Y  P  A  C  E  E  N  K
E  D  T  D  D  E  K  C  O  M  T  F  V  O  O
D  Y  X  N  Y  M  M  O  E  S  R  A  P  N  N
E  H  I  U  E  E  B  E  L  B  M  U  B  H  I
S  E  L  A  P  M  I  C  X  D  S  L  Z  U  N
A  L  A  N  O  I  T  A  N  Q  S  T  S  M  G
U  D  G  Y  X  R  P  O  Y  N  C  E  L  A  V
C  B  R  A  P  I  S  T  L  N  K  R  I  N  H
E  X  E  U  D  I  S  S  O  L  U  T  E  L  Y
D  D  I  S  A  P  P  E  A  R  A  N  C  E  B
K  C  P  F  T  F  I  H  S  E  K  A  M  Z  Z
```

ALLOTMENT
BUMBLEBEE
CUCKOLDS
DEFAULTER
DISAPPEARANCE
DISSOLUTELY
HESITATION
IMPALES

KNEECAP
MAKESHIFT
NATIONAL
NONHUMAN
PARSE
PURSUED
RAPIST
RECKONING

SAUCED
SCAMPI
SHORTCOMING
SPLOTCHY

Assorted Words 10

```
Q  V  C  C  A  L  F  O  S  M  Y  P  D  Y  W
F  T  C  R  D  S  A  S  V  R  R  I  T  B  O
J  B  K  A  O  G  L  M  O  E  E  I  M  J  T
X  J  C  C  M  M  X  L  P  T  R  Y  K  M  C
X  T  O  K  L  P  A  T  A  S  N  H  W  L  Q
R  S  H  L  O  I  F  N  N  Y  H  E  E  A  C
A  K  N  E  E  Z  F  I  T  A  R  A  M  A  S
I  I  M  O  R  O  N  E  R  I  F  R  D  E  T
L  F  G  N  I  R  O  T  S  E  C  N  A  E  M
R  F  B  H  B  T  W  U  Q  T  S  I  I  C  S
O  E  C  A  C  O  P  H  O  N  Y  H  S  A  A
A  D  H  E  L  I  P  O  R  T  M  L  P  T  M
D  L  S  D  N  U  O  P  D  Y  D  M  E  J  S
S  Y  R  E  L  L  E  C  N  A  H  C  D  S  A
M  A  B  X  M  A  I  N  T  A  I  N  I  N  G
```

ADOPTIONS	INFANT	RAILROADS
ANCESTORING	LAMPSHADES	ROMANTICISTS
CACOPHONY	LIFESTYLES	SAWYERS
CAMPFIRES	MAINTAINING	SKIFFED
CARRYALLS	MEMENTOS	
CHANCELLERY	MORON	
CRACKLE	OVERHEAT	
HELIPORT	POUNDS	

Assorted Words 11

```
E   G   N   I   T   U   B   I   R   T   N   O   C   J   V
N   D   F   G   N   I   T   S   E   R   O   F   E   D   I
C   R   E   T   A   I   R   U   F   N   I   F   M   E   N
A   B   F   Y   T   A   O   B   E   F   I   L   A   P   F
P   Y   Z   D   L   X   J   A   S   F   T   P   C   R   L
S   A   T   H   E   B   G   M   L   K   Q   S   A   O   O
U   N   S   C   I   D   A   P   W   G   W   H   R   G   R
L   G   O   C   E   U   E   L   Q   T   L   I   O   R   E
A   R   N   I   E   L   M   I   U   Y   C   P   N   A   S
T   L   Y   I   T   N   A   F   F   C   I   B   I   M   C
I   F   O   I   G   R   D   I   S   I   L   O   N   I   E
O   G   E   Y   M   A   E   E   D   J   T   A   V   N   N
N   X   X   X   I   Y   V   S   N   Q   S   R   C   G   C
W   H   I   T   T   L   E   A   E   T   I   D   E   N   E
R   P   A   S   C   H   A   L   R   D   S   S   F   C   I
```

AMPLIFIES
ASCENDENTS
CERTIFIED
CONTRIBUTING
DEFORESTING
DEPROGRAMING
DESERTIONS
DIALECT

ENCAPSULATION
INCALCULABLY
INFLORESCENCE
INFURIATE
LIFEBOAT
MACARONI
PASCHAL
RAVAGING

SHIPBOARDS
WHITTLE

Puzzle #12

Assorted Words 12

```
B  L  S  J  A  B  O  D  E  S  U  H  C  U  G
I  O  S  U  Q  P  G  P  I  M  T  K  K  Y  L
N  C  L  E  A  V  A  G  E  S  Y  A  C  P  D
D  P  O  Q  C  R  T  R  E  Q  L  H  L  I  I
E  A  X  L  K  N  E  S  T  N  E  B  R  F  S
C  L  Y  G  O  G  A  M  E  D  B  A  W  R  A
I  M  G  T  W  N  Y  N  M  K  V  L  A  V  B
S  I  R  V  L  H  I  X  E  A  N  U  I  I  I
I  S  Q  I  K  U  F  Z  F  P  Y  A  F  K  L
V  T  P  D  E  B  A  Z  E  P  H  F  R  K  I
E  R  O  E  N  B  E  F  F  D  Q  O  H  C  T
L  Y  I  X  C  G  N  I  R  R  U  C  C  O  I
Y  S  L  A  V  R  E  T  N  I  G  S  R  S  E
U  V  U  L  A  E  O  U  T  L  I  V  E  D  S
N  O  I  T  A  C  I  F  I  L  L  U  N  V  N
```

ABODES	FAULTY	PALMISTRY
APART	FLATS	PENANCES
BENTS	FORCEPS	RHYME
CLEAVAGES	INDECISIVELY	UVULAE
COLONIZED	INTERVALS	YAMMER
CRANKEST	NULLIFICATION	
DEMAGOGY	OCCURRING	
DISABILITIES	OUTLIVED	

Assorted Words 13

```
R  C  U  E  F  I  N  K  K  C  A  J  R  G  Y
O  W  L  J  E  A  F  O  G  G  I  N  E  S  S
W  E  L  J  B  Z  B  F  I  E  M  W  R  G  N
E  T  W  A  Q  R  I  O  P  T  G  C  E  F  O
L  K  S  M  T  C  E  L  U  D  E  S  A  S  O
S  A  R  E  M  I  H  C  A  N  W  L  D  P  P
U  N  F  R  I  F  G  I  C  C  O  R  P  O  S
N  O  A  I  J  B  L  I  V  B  O  I  M  E  D
B  Y  E  T  G  N  I  D  D  E  W  L  N  P  D
I  H  Y  U  S  K  C  U  R  T  D  C  Q  G  T
D  K  J  Z  E  P  Y  T  I  M  I  L  B  U  S
D  G  N  L  S  R  A  L  U  S  N  O  C  F  T
E  Y  I  I  C  I  R  C  U  L  A  T  E  D  V
N  G  N  I  S  S  E  R  P  M  O  C  E  D  X
C  W  E  C  K  E  E  L  I  N  G  K  F  Z  T
```

ABOUNDING	DIGITAL	ROWELS
CAPSTANS	ELUDES	SNOOPS
CHIMERAS	FOGGINESS	SUBLIMITY
CHIVED	JACKKNIFE	TRUCKS
CIRCULATED	KEELING	UNBIDDEN
CONSULARS	LOCALIZE	WEDDING
DECOMPRESSING	MERIT	
DEPLETION	REREAD	

Assorted Words 14

```
D  J  Z  S  C  W  V  G  N  I  P  P  O  R  D
E  M  B  R  Y  O  L  O  G  I  S  T  S  W  G
T  E  T  N  I  U  Q  G  N  I  S  A  E  L  W
O  T  E  R  E  H  A  U  G  H  T  I  E  S  T
Y  O  M  I  C  R  O  S  C  O  P  E  S  W  L
S  I  W  H  Z  C  O  N  V  O  Y  I  N  G  E
C  E  V  Y  A  D  H  T  R  I  B  Q  I  P  N
D  L  S  G  L  L  Y  S  P  E  S  G  R  U  T
B  S  A  S  A  G  L  T  E  S  K  F  A  D  I
P  K  Q  C  A  W  N  O  S  X  L  A  O  L  L
E  S  L  R  K  V  K  I  T  E  E  E  E  O  S
T  U  S  S  L  E  E  I  G  M  V  T  A  R  W
I  H  A  L  V  E  D  R  L  N  U  A  R  Z  B
S  P  R  I  N  K  L  E  C  Y  O  S  R  O  Y
U  M  O  O  D  I  N  E  S  S  Q  L  U  T  C
```

ALLOT	EMBRYOLOGISTS	MICROSCOPES
BIRTHDAY	GAWKILY	MOODINESS
BREAKER	HALVED	QUINTET
CLACKED	HAUGHTIEST	SLEAZY
CONVOYING	HERETO	SPRINKLE
CORTEXES	LEASING	TRAVESTY
CREVASSES	LENTILS	TUSSLE
DROPPING	LONGINGLY	WOOFS

Assorted Words 15

```
N  B  T  L  Q  Z  L  F  G  Q  S  G  F  D  T
D  Y  I  S  R  I  J  R  O  T  A  T  I  M  I
H  B  D  S  S  E  C  A  F  R  U  S  E  R  N
T  A  M  D  E  C  L  A  S  P  S  X  H  Q  V
R  E  R  I  J  X  H  C  A  O  C  A  Q  T  I
B  Y  L  S  U  O  U  G  I  B  M  A  K  P  G
R  S  L  D  H  G  U  A  T  N  W  E  J  E  O
A  H  M  A  S  E  N  D  L  O  O  M  D  H  R
S  A  L  I  U  D  R  I  E  I  T  R  V  J  A
S  M  O  N  C  Q  A  H  T  H  T  B  H  P  T
I  E  S  F  K  S  E  N  I  O  C  Y  Y  C  I
E  L  W  U  X  K  G  J  C  K  N  T  P  I  N
R  E  P  L  N  R  E  G  A  E  M  Y  I  U  G
E  S  C  L  G  N  I  P  P  I  R  D  E  H  I
S  S  Y  Y  S  P  U  T  T  E  R  E  D  K  Q
```

AMBIGUOUSLY	DRIPPING	MEAGER
BISEXUALITY	EQUAL	RESURFACES
BRASSIERES	FORSAKE	SHAMELESS
CHRONICLER	HARSHER	SPUTTERED
CLASPS	HITCHED	
COACH	IMITATOR	
DANCER	INVIGORATING	
DISDAINFULLY	KEYNOTING	

Assorted Words 16

```
I  E  E  F  B  D  E  K  C  O  L  N  U  G  F
G  N  I  T  A  N  I  C  C  A  V  O  C  M  X
G  N  I  T  C  E  L  F  E  D  N  F  E  B  F
F  R  V  O  K  S  D  E  S  U  B  A  J  E  C
O  E  P  T  S  B  A  C  J  N  A  N  M  L  I
M  P  A  B  L  I  R  L  S  C  N  G  X  L  G
E  U  T  J  A  Z  R  O  L  I  G  L  I  I  A
N  G  T  F  P  C  S  S  W  I  E  E  J  G  R
T  N  E  J  P  Y  K  E  Q  N  X  S  N  E  I
A  A  D  Y  E  K  G  P  S  E  E  A  Z  R  L
T  N  V  M  R  G  Q  J  A  O  M  R  M  E  L
I  T  D  T  S  E  K  I  L  C  O  A  S  N  O
O  F  L  U  S  H  E  D  O  G  K  G  I  T  S
N  D  Y  Z  C  O  L  L  I  D  E  S  E  L  Q
F  P  B  T  O  J  C  Y  T  O  L  O  G  Y  M
```

ABUSED	CLOSE	LIKEST
ALMANAC	COLLIDES	MAXILLAS
ANGLES	CYTOLOGY	PATTED
BACKPACKS	DEFLECTING	REPUGNANT
BACKSLAPPER	EMAIL	UNLOCKED
BELLIGERENTLY	FLUSHED	VACCINATING
BROWNER	FOMENTATION	
CIGARILLOS	GOOSES	

Assorted Words 17

```
A  F  T  F  L  S  I  R  E  S  E  N  T  E  D
D  Q  E  L  B  A  E  G  R  A  H  C  E  R  M
O  E  G  D  X  D  P  S  R  E  C  U  D  E  S
C  V  G  C  E  G  J  I  S  C  Z  S  U  S  M
T  Y  Y  D  S  S  K  L  C  E  V  Q  Q  N  I
A  W  F  F  E  E  L  I  O  N  R  U  V  O  R
G  D  O  S  C  R  P  U  M  T  I  I  A  W  R
O  N  Y  Z  I  D  D  O  P  K  X  R  E  S  A
N  X  I  G  G  T  E  O  L  D  L  E  P  H  D
A  O  U  T  J  N  A  Z  E  E  W  S  L  E  I
L  G  D  C  A  N  I  S  T  E  R  E  D  D  A
K  U  X  S  A  R  M  O  E  U  E  O  L  Y  T
J  L  O  U  D  L  Y  S  L  B  F  Y  S  L  I
O  C  C  U  T  S  J  G  Y  A  R  K  P  O  O
E  R  G  N  I  P  M  U  L  U  H  Q  D  G  N
```

CANISTERED	HEIRESSES	RECHARGEABLE
COMPLETELY	IRRADIATION	RESENTED
DREDGED	LOPES	SATISFY
DWELL	LOUDLY	SEDUCERS
EXTOL	LUMPING	SNOWSHED
FUTZED	OCTAGONAL	SQUIRES
GYRATING	PRINCIPAL	STUCCO
HALOING	PULSED	

Assorted Words 18

```
Z  C  Q  N  O  I  T  U  A  C  E  R  P  D  J
U  S  C  I  H  P  Y  L  G  O  R  E  I  H  C
F  O  R  E  W  A  R  N  E  D  T  P  Q  Q  S
J  D  Z  R  N  O  I  T  A  M  I  T  S  E  Q
R  T  R  H  F  C  M  I  S  S  P  E  N  D  S
C  I  S  G  S  H  A  D  Y  C  Y  G  N  E  T
M  R  N  E  L  A  S  M  F  L  H  Y  V  B  L
R  H  E  T  D  A  M  E  P  G  E  Z  A  D  U
V  O  T  A  O  O  D  S  I  M  I  E  I  X  X
I  K  B  O  T  L  H  I  N  R  E  R  N  F  U
O  M  Y  E  K  O  E  T  A  I  E  N  P  T  R
P  L  A  T  T  E  R  R  A  T  G  T  T  S  I
S  K  I  T  T  I  S  H  A  C  O  G  O  A  A
Z  S  S  E  N  I  S  A  E  N  U  R  O  C  N
Z  Q  K  U  N  O  B  L  E  S  T  U  S  N  T
```

CATHODES	HIEROGLYPHICS	SKITTISH
COTERIE	INTOLERANT	SMASH
CREATOR	LUXURIANT	SPRIG
CYGNET	MISSPENDS	TOKES
ENCAMPMENT	NOBLE	UNEASINESS
ESTIMATION	NOGGINS	
FOREWARNED	PLATTER	
GLADIATORS	PRECAUTION	

Assorted Words 19

```
I  N  D  E  M  N  I  F  I  E  S  D  T  U  L
R  E  S  K  L  O  F  B  Y  P  L  I  E  S  K
N  I  D  E  A  L  I  S  T  S  W  I  Z  I  Y
K  D  T  F  C  B  M  E  R  R  I  M  E  N  T
W  Q  F  F  G  N  I  L  L  E  B  D  A  H  A
S  D  E  G  A  M  A  D  E  C  A  L  P  P  P
Q  E  G  B  O  O  T  L  E  G  G  I  N  G  A
F  J  T  U  T  S  T  R  U  C  T  U  R  E  I
S  M  H  I  Z  X  P  T  H  B  I  K  R  M  N
R  L  M  H  N  Z  O  A  S  F  M  S  U  R  F
Y  R  E  E  L  I  L  F  N  E  E  A  H  Z  U
L  O  O  P  S  E  F  E  Q  T  G  N  C  L  L
P  M  C  H  A  M  B  E  R  M  A  I  D  Y  L
G  C  N  B  Q  H  C  S  D  F  M  C  D  S  Y
V  R  I  X  Y  G  C  Z  G  N  I  B  M  U  N
```

AMBULANCES	DIGEST	NUMBING
BELLING	FENDS	PAINFULLY
BOOTLEGGING	FOLKS	PLACED
CATNAPS	GUZZLER	PLIES
CHAMBERMAID	IDEALISTS	SPOOL
CHAPELS	INDEMNIFIES	STRUCTURE
DAMAGED	LEERY	
DEFINITE	MERRIMENT	

Assorted Words 20

```
T  G  S  I  D  S  Q  N  N  U  T  T  I  N  G
S  O  D  E  Z  G  S  L  A  M  M  E  R  L
O  D  S  E  U  C  O  N  F  R  O  N  T  E  S
L  F  W  T  T  R  H  P  I  S  L  Y  E  S  T
I  A  S  X  H  N  T  Y  I  R  B  X  S  P  A
C  T  R  E  D  G  E  S  T  E  O  O  T  O  P
I  H  H  U  Z  F  U  P  N  S  R  O  E  R  L
T  E  O  T  G  I  B  O  E  O  E  C  M  T  E
A  R  G  O  S  U  R  O  H  R  C  M  E  R  K
T  S  S  T  L  P  A  O  U  T  A  S  M  C  J
I  R  H  W  G  G  U  N  T  D  R  Y  I  U  D
O  C  E  C  N  Y  N  O  I  O  O  E  A  M  R
N  P  A  R  D  O  N  S  C  B  M  I  T  Y  S
S  C  D  E  T  P  M  E  T  T  A  X  R  F  P
E  M  S  B  R  O  O  C  H  E  S  O  U  B  A
```

AFTERTHOUGHTS	HOGSHEADS	PIERCE
AROMAS	INAUGURAL	REPENTED
ATTEMPTED	ITCHY	RUMMEST
BOUDOIR	MISCONSTRUES	SLAMMER
BROOCHES	MOORINGS	SLYEST
CONFRONT	MOTORIZES	SOLICITATIONS
COUPS	NUTTING	SPORT
GODFATHERS	PARDONS	STAPLE

Assorted Words 21

```
W  E  U  U  E  L  G  N  A  T  N  E  S  I  D
G  Y  E  L  H  C  O  N  I  P  M  U  F  T  S
T  N  U  A  D  B  Y  D  A  U  Q  W  Z  R  O
J  G  I  T  S  A  V  A  E  R  Y  Q  T  U  V
M  M  L  Y  C  L  E  R  K  K  L  Y  R  T  E
E  A  E  A  F  L  C  S  S  S  N  I  X  H  R
L  R  A  D  T  I  E  Y  T  Q  A  I  N  S  W
L  A  R  V  E  N  S  C  R  R  V  M  L  G  R
O  T  N  M  B  G  E  R  A  A  A  C  A  S  I
W  H  I  J  J  U  Y  N  E  L  T  P  W  D  T
E  O  N  Z  A  T  T  I  I  V  P  I  M  X  T
D  N  G  R  B  B  M  T  F  T  I  W  N  I  E
Q  E  I  M  I  T  A  T  E  J  N  D  O  A  N
Y  R  S  N  A  C  U  O  T  R  H  O  S  H  S
X  S  U  O  R  E  H  C  E  L  Y  E  C  J  S
```

AVAST	GNARLING	PINOCHLE
BALLING	IMITATE	SANITARY
BUTTERY	IMPARTS	SHOWPLACE
CLERK	LEARNING	SLINKED
CONTINENTAL	LECHEROUS	TOUCANS
DAMASK	MARATHONERS	TRUTHS
DISENTANGLE	MELLOWED	
DIVERSIFYING	OVERWRITTEN	

Assorted Words 22

```
L  A  V  C  A  R  R  O  U  S  E  L  S  J  L
B  O  C  F  E  R  E  E  S  O  R  T  E  R  V
S  C  O  S  E  L  E  L  I  H  U  A  H  M  W
D  R  N  E  G  E  E  P  L  T  G  A  E  S  K
M  A  C  J  T  N  S  S  U  I  S  T  R  H  N
O  V  E  P  H  A  I  R  T  T  H  U  O  L  O
T  A  N  R  A  O  I  L  O  I  I  C  F  I  B
H  T  T  S  E  T  N  C  S  T  A  N  T  V  B
B  T  R  D  E  G  E  E  O  I  A  L  G  E  I
A  I  A  A  E  X  R  R  Y  S  U  U  X  R  E
L  N  T  I  L  V  E  E  N  D  S  Q  Q  I  S
L  G  E  M  I  L  L  N  S  A  E  A  I  E  T
T  R  S  I  E  H  I  O  N  S  L  L  S  S  I
F  O  W  O  L  K  T  P  S  A  Y  L  O  I  O
P  E  D  E  T  S  I  X  E  E  R  P  Y  V  D
```

ANNEXES	FUSTIER	PREEXISTED
CARROUSELS	HEARS	QUISLINGS
CELESTIAL	HONEY	REGRESS
CHILLER	KNOBBIEST	REPUTING
CONCENTRATES	LIVERIES	SOLVED
CRAVATTING	MOTHBALL	SORTER
DISASSOCIATE	PATERNALLY	VOLED
EQUATORS	PILLAR	

Assorted Words 23

```
Y  O  S  S  D  E  H  S  D  O  O  L  B  P  O
J  D  M  E  L  B  M  C  E  X  N  D  V  L  V
M  F  N  I  K  G  O  K  A  I  S  O  U  U  E
S  H  J  C  S  H  N  N  R  L  T  V  S  M  R
X  O  R  D  O  T  K  I  N  E  L  I  L  E  P
E  F  I  R  T  S  R  T  K  I  T  E  T  D  O
O  L  L  L  M  B  O  U  N  C  E  R  H  N  W
B  O  S  M  O  T  I  C  S  F  I  R  O  S  E
T  Y  X  S  Q  P  A  P  V  T  E  L  F  D  R
U  D  E  Z  I  R  A  T  O  N  S  W  C  U  E
S  Y  K  B  C  A  T  A  P  U  L  T  E  D  D
E  G  N  I  S  S  E  R  G  E  R  Q  J  S  X
L  O  R  E  C  Y  L  G  L  O  W  E  R  R  T
Y  N  I  G  H  T  S  H  A  D  E  W  I  M  R
K  A  F  T  Z  G  L  I  S  S  A  N  D  I  L
```

BLOODSHED
BONNIER
BOUNCER
CATAPULTED
CLICKING
ENTITIES
FEWEST
GLISSANDI

GLOWER
GLYCEROL
MISTRUSTS
NIGHTSHADE
NOTARIZED
OBTUSELY
OSMOTIC
OVERPOWERED

PLUMED
POLIOS
REGRESSING
RETROD
SHELLAC
STRIFE

Assorted Words 24

```
O  D  E  B  O  L  G  S  P  R  E  L  U  D  E
S  A  E  V  S  L  K  I  E  R  D  L  D  L  R
T  U  C  H  C  L  I  R  A  T  T  L  I  N  G
O  Z  L  Q  J  H  I  R  P  N  E  V  R  W  M
M  W  I  O  Q  P  Y  A  T  E  T  H  A  Z  M
E  I  N  S  E  L  A  T  S  S  L  E  C  M  E
M  N  C  C  U  R  V  A  C  E  O  U  S  A  R
O  C  H  A  R  I  E  S  T  F  R  N  Q  S  M
R  A  H  O  U  A  K  G  L  O  M  O  J  H  A
N  R  M  H  Y  A  N  N  X  R  H  A  F  R  I
I  N  F  L  P  X  F  K  S  A  M  D  S  U  D
N  A  N  R  U  B  U  A  I  G  O  A  F  G  S
G  T  W  Y  I  K  R  O  W  E  M  O  H  G  Z
S  E  D  R  O  H  C  I  S  P  R  A  H  E  Q
S  T  S  I  N  O  I  T  I  R  T  U  N  D  Y
```

AUBURN	GLOBED	NUTRITIONISTS
CHARIEST	HARPSICHORD	PRELUDE
CLINCH	HOMEWORK	RATTLING
CRANKIER	INCARNATE	SHRUGGED
CURVACEOUS	MACHETES	STALES
FORAGE	MERMAIDS	
FORESAILS	MORNINGS	
GIANTESS	NOSTRIL	

Assorted Words 25

```
I  S  D  D  Y  Y  G  G  W  E  G  T  V  V  R
P  M  E  E  E  L  P  N  O  H  L  R  X  B  O
R  A  W  T  C  D  T  O  I  D  A  B  Y  W  Z
E  N  C  P  A  U  N  N  R  K  H  Z  B  Q  J
C  U  I  E  S  R  D  E  A  T  C  C  A  O  T
O  F  S  D  S  R  O  E  C  R  R  I  T  R  C
N  A  Y  E  E  U  O  T  D  S  O  A  R  A  D
D  C  Q  R  R  T  O  N  C  U  E  N  I  T  W
I  T  D  A  T  A  A  I  A  E  R  D  G  T  C
T  U  Z  S  S  P  L  T  C  M  P  A  N  I  S
I  R  U  T  Q  H  R  G  U  A  H  X  B  O  E
O  E  U  S  J  F  W  F  D  P  L  T  E  L  C
N  R  M  U  C  K  I  E  S  T  M  L  D  S  Y
E  S  E  I  T  R  E  P  O  R  P  A  A  I  Q
D  E  T  A  T  I  C  A  P  A  C  N  I  F  W
```

AMPUTATED
ASSERTS
COBBLE
CONDESCENDED
DEDUCED
DURABLY
EXPECTORATES
FALLACIOUS

GLARES
HAZARD
IGNORANTLY
INCAPACITATED
MANORS
MANUFACTURERS
MUCKIEST
PEDERASTS

PORTRAITS
PRECONDITION
PROPERTIES
TRICKING
WATCHDOG
WIDTH

Assorted Words 26

```
D  I  T  T  O  E  S  M  I  C  R  O  B  E  S
S  I  S  G  R  E  S  I  L  I  E  N  C  E  I
C  T  R  E  N  S  R  E  P  P  U  S  O  H  D
T  I  N  E  H  O  B  Y  N  C  H  T  U  O  V
F  A  S  E  C  C  I  S  E  A  S  O  N  E  D
A  R  L  N  V  T  A  S  T  U  L  M  T  Z  N
T  L  I  O  I  E  I  E  R  S  K  P  E  O  E
N  H  S  X  N  R  N  O  P  E  U  R  R  J  N
O  N  Z  E  P  S  T  O  N  W  V  R  S  I  G
D  E  L  W  A  R  D  X  N  A  J  I  T  S  A
O  V  U  L  A  T  E  S  E  Y  L  G  D  N  G
M  G  C  S  K  W  R  N  A  S  M  S  K  N  E
F  M  N  G  I  S  N  O  C  G  L  R  H  V  D
P  O  S  I  E  S  E  V  A  H  E  B  S  I  M
Y  M  I  E  S  N  O  I  T  U  C  E  X  E  O
```

AIRPLANES	DRAWLED	PEACHES
AORTAE	ENTRUSTS	PHOTON
CAUSEWAYS	EXECUTIONS	POSIES
CONSIGN	EXTRINSIC	RESILIENCE
COUNTERS	MICROBES	SEASONED
DIRECTIONALS	MISBEHAVES	SUPPERS
DITTOES	NONEVENTS	TALONS
DIVERSION	OVULATES	

Assorted Words 27

```
C  W  D  Z  K  K  N  I  A  T  S  B  A  P  G
M  E  T  A  R  E  P  S  E  D  U  Y  J  E  R
D  E  R  E  D  L  U  O  B  A  R  G  E  S  U
S  H  I  R  R  E  D  O  D  S  X  G  X  C  P
D  E  N  R  I  C  H  E  S  R  E  N  R  O  C
S  N  C  E  N  T  E  R  G  U  E  U  A  N  D
H  F  S  Y  V  L  W  J  A  G  U  A  R  T  B
S  R  E  N  O  I  T  I  D  N  O  C  U  R  F
D  O  F  O  U  N  T  A  I  N  E  D  T  A  J
O  S  N  E  H  C  T  I  K  N  A  B  O  B  U
P  T  M  G  F  R  A  U  G  H  T  E  D  A  L
A  B  S  C  I  S  S  A  P  P  E  A  L  N  E
N  C  M  D  E  P  R  O  G  R  A  M  E  D  P
O  I  L  F  I  E  L  D  S  U  B  W  A  Y  S
X  X  O  C  T  I  R  E  D  N  E  S  S  D  M
```

ABSCISSA	CORNERS	JAGUAR
ABSTAIN	DEPROGRAMED	JULEPS
APPEAL	DESPERATE	KITCHENS
BARGES	DOGGED	NABOB
BOULDERED	ENRICHES	OILFIELD
CENTER	FOUNTAINED	SHIRRED
CONDITIONERS	FRAUGHTED	SUBWAYS
CONTRABAND	FROST	TIREDNESS

Assorted Words 28

```
V E K B N C R T P S A S I W P
V S S K I A I E S A R E B N R
B G R S N L M T V E Z E T G O
D K S E E U L E A I R K W A T
T I Z S T N P E S M D E F O E
S N A R E P T R T J U Y T N S
L E E B A N O R E S G E K N T
I B L L O R E C U B F I N S I
M G Z D O L R V O C Y I R P B
M R U S O V I I I S R C O D B
I X B N E O E C V S E B P C S
N B V H F C D L A E A G F I C
G I M W N I N Q A L D R R T A
R W I N D Y R U M M L K B U K
S E C A L N U E O Z O Y G A S
```

ABRASIVENESS
ARRIVED
BILLETS
COIFS
COPTERS
CURTNESS
CYBERPUNK
DIABOLICALLY

DOODLE
GIRDS
GUNFIRE
INTEREST
MALEVOLENT
NAMES
OUNCES
PNEUMATIC

PROTEST
SKYDIVER
SLIMMING
SOWERS
SURGES
UNLACES
WINDY

Assorted Words 29

```
O  Q  E  L  B  A  I  F  I  S  L  A  F  Y  G
D  J  A  J  A  M  D  E  R  E  N  R  A  G  R
I  E  L  C  U  N  K  V  A  Z  Z  I  P  Q  U
Z  A  S  B  A  S  E  L  E  S  S  J  Z  S  E
G  W  Y  T  E  C  N  E  G  R  E  V  I  D  L
E  O  R  E  I  C  I  L  L  A  T  E  M  T  I
A  P  W  X  E  N  M  G  B  O  N  I  T  O  N
R  K  R  O  T  U  I  N  R  F  R  N  S  K  G
S  W  O  R  B  E  Y  E  U  L  A  Q  W  E  S
H  B  U  C  O  L  I  C  S  I  C  U  A  N  D
I  K  N  I  L  P  O  P  H  P  C  E  N  I  U
F  D  E  S  A  E  L  P  W  P  O  S  N  S  J
T  O  P  M  I  L  E  G  O  A  O  T  E  M  M
V  F  O  R  M  A  T  I  O  N  N  S  S  G  A
E  T  A  E  M  R  E  P  D  T  S  R  T  U  G
```

ADVERTISED	EYEBROWS	METALLIC
BASELESS	FALSIFIABLE	NUCLEI
BONITO	FLIPPANT	PERMEATE
BRUSHWOOD	FORMATION	PIZZA
BUCOLICS	GARNERED	PLEASED
DESTINIES	GEARSHIFT	POPLIN
DIVERGENCE	GRUELINGS	RACCOONS
EXORCISM	INQUESTS	TOKENISM

Assorted Words 30

```
U A H S R E D L E I F T U O J
T D O C K Y A R D I I J N S X
Y S S U O I C A M U T N O C S
U L S E R M P T S E H T I L M
P S D E I E P R D B P T B K O
O D E E N B L L O E L U B B D
S P U S I E A L E S G E E Z E
T C B M P Z M B U T C R M P R
E S I V B Y N O Y F E R E H N
D T W L L F L E S R E S I V I
D U H Y O S O A R D C C T B Z
P D O X W C Q U C F N F A F E
W I R Z C U U M N O R A Z R D
V O L K H L K B J D P E H K G
I S Z I P L M D E T C A X E B
```

APOCALYPSES
BUCOLICS
COMPLETEST
CONTUMACIOUS
CRYBABIES
DOCKYARD
DUMBFOUND
EXACTED

FRENZIEDLY
GRACEFULLER
HANDSOMENESS
LITHEST
MODERNIZED
OUTFIELDERS
POSTED
PROSCRIBE

SCULL
STUDIOS
VERGED
WHORL

Assorted Words 31

```
R  T  M  T  Z  P  E  T  T  I  N  E  S  S  R
P  E  E  S  R  E  T  T  I  S  Y  B  A  B  E
R  P  R  T  L  D  L  R  E  T  T  A  T  M  C
E  I  A  E  A  D  E  T  V  T  D  L  T  Y  O
P  D  K  X  D  G  E  P  I  S  V  K  I  X  V
O  F  H  Z  F  N  D  Y  P  T  L  B  T  Q  E
N  C  O  J  O  N  U  O  E  O  N  A  U  K  R
D  O  R  R  R  Q  S  A  O  B  R  E  D  F  S
E  L  S  E  E  R  L  G  L  L  O  P  I  E  S
R  B  E  A  T  H  V  W  N  E  F  S  N  G  M
A  Z  W  C  A  T  E  Q  U  I  P  P  I  N  G
N  X  H  T  S  P  Q  A  L  H  D  Z  Z  D  I
C  A  I  O  T  S  C  E  D  K  X  L  E  R  S
E  L  P  R  E  Y  W  H  O  I  S  T  E  D  J
M  A  S  S  E  U  S  E  Y  Y  D  K  W  G  T
```

ATTITUDINIZE
BABYSITTERS
DISOBEYED
ENTITLE
EQUIPPING
FLOODGATE
FOREHEAD
FORETASTE

GELDINGS
HOISTED
HORSEWHIPS
LAUNDERER
MASSEUSE
MEDALS
PETTINESS
PREPONDERANCE

PROPPED
REACTOR
RECOVERS
TATTER
TEPID

Assorted Words 32

```
D  P  A  S  T  R  A  M  I  D  C  K  X  S  P
W  E  H  P  E  N  D  T  H  I  C  C  Z  L  R
X  L  I  B  R  E  T  T  O  S  Y  A  P  O  O
Q  Z  P  R  E  V  E  N  T  H  L  P  H  W  S
K  J  F  P  R  D  L  H  P  R  U  T  O  S  P
I  D  T  V  D  E  C  I  M  A  T  I  N  G  E
N  Q  K  X  C  M  F  B  H  G  P  V  E  Y  C
E  W  H  S  I  L  L  E  B  M  E  A  Y  H  T
M  M  U  C  K  I  E  S  T  A  F  T  W  A  O
A  L  M  I  L  L  I  O  N  T  H  I  J  C  R
T  P  U  O  C  E  R  T  D  D  Z  O  M  K  D
I  C  Z  E  B  E  T  T  E  R  I  N  G  L  M
C  R  S  W  D  E  M  I  A  L  C  C  A  E  G
S  E  S  I  V  E  R  N  E  G  O  R  T  S  E
P  O  P  L  A  R  S  G  N  I  O  B  M  I  L
```

ACCLAIMED	FERRIED	PAPAW
BESOTTING	HACKLES	PASTRAMI
BETTERING	KINEMATICS	PHONEY
CAPTIVATION	LIBRETTOS	POPLARS
DECIMATING	LIMBOING	PREVENT
DISHRAG	MILLIONTH	PROSPECTOR
EMBELLISH	MUCKIEST	RECOUP
ESTROGEN	NEPHEW	REVISES

Assorted Words 33

```
S  R  E  G  D  E  R  D  U  P  L  E  X  E  S
H  K  E  J  S  D  I  O  N  A  M  U  H  B  I
X  Q  N  K  C  A  T  S  I  T  O  N  P  Y  H
I  W  F  I  D  I  S  G  R  A  C  I  N  G  S
N  R  L  J  R  O  C  I  A  M  J  F  Q  U  I
D  E  U  S  I  D  O  S  N  P  J  H  N  C  M
E  C  R  R  N  E  M  B  A  I  Z  O  R  B
N  E  R  F  D  Y  P  U  A  N  K  J  M  E  A
T  D  I  A  U  S  L  L  E  G  I  I  S  F  L
A  I  E  W  C  Y  E  K  S  O  U  T  B  F  A
T  N  D  J  T  K  M  I  T  E  R  B  Y  I  N
I  G  O  T  P  I  E  E  L  Q  U  Q  G  N  C
O  X  E  L  B  I  N  R  E  C  S  I  D  G  E
N  A  K  Q  Z  U  T  Q  S  N  G  I  E  F  D
N  O  S  E  I  R  T  E  M  O  E  G  H  E  B
```

AMPING	DREDGERS	IMBALANCED
BIKINIS	DRINKS	INDENTATION
BUGABOO	DUPLEXES	INDUCT
BULKIER	FEIGNS	RECEDING
COMPLEMENT	FLURRIED	REFFING
CRACKERS	GEOMETRIES	SANITY
DISCERNIBLE	HUMANOIDS	
DISGRACING	HYPNOTIST	

Assorted Words 34

```
D  N  N  I  W  L  I  F  E  L  O  N  G  K  G
H  K  X  D  D  I  S  P  L  E  A  S  I  N  G
Z  N  W  B  I  I  N  W  A  R  D  O  J  R  S
R  O  R  O  H  S  A  P  E  D  I  G  R  E  E
E  N  E  F  I  S  Z  G  Z  I  P  P  E  D  O
D  C  I  C  P  L  I  E  R  S  S  P  W  B  C
U  O  N  M  A  K  O  O  Z  A  B  K  D  C  C
N  N  S  A  Z  W  S  F  Y  Q  M  P  I  U  A
D  D  E  Z  I  N  C  I  T  E  M  E  N  T  S
A  U  R  L  I  Q  U  O  R  I  N  G  D  G  I
N  C  T  O  R  L  R  D  A  T  U  M  S  I  O
T  T  I  Z  L  I  B  E  R  A  T  I  N  G  N
C  O  N  C  I  L  I  A  T  I  O  N  O  Y  A
U  R  G  I  F  D  Y  A  D  O  T  M  V  G  L
P  P  D  E  C  R  I  M  I  N  A  L  I  Z  E
```

BAZOOKA
CONCILIATION
DATUMS
DECRIMINALIZE
DIAGRAMED
DISPLEASING
DROLLY
FOLIO

INCITEMENTS
INWARD
LIBERATING
LIFELONG
LIQUORING
NONCONDUCTOR
OCCASIONAL
PEDIGREE

PLIERS
REDUNDANT
REINSERTING
TODAY
ZIPPED

Assorted Words 35

```
W  Y  L  G  N  I  N  E  D  D  A  M  I  N  F
D  Q  L  Q  F  O  R  E  O  R  D  A  I  N  S
J  V  F  H  Z  F  G  N  I  H  C  A  O  P  G
X  R  S  E  T  T  E  U  Q  I  R  B  G  T  H
S  S  M  N  U  O  M  E  L  L  A  N  O  R  X
W  N  E  I  O  Q  O  F  E  U  S  G  Y  I  H
R  E  O  S  A  I  O  M  B  L  H  U  R  C  I
G  E  Z  I  P  S  T  R  S  N  I  M  N  K  C
S  N  D  I  T  O  M  A  A  L  N  D  C  E  C
T  E  I  A  L  A  O  A  N  B  G  R  E  D  U
O  F  Z  T  E  A  L  O  S  O  O  O  J  S  P
R  A  X  N  S  L  U  U  A  W  T  P  Z  L  P
A  G  T  I  L  O  P  Q  M  Q  N  E  S  N  I
G  A  Z  Y  G  M  P  C  E  E  N  C  D  M  N
E  M  O  A  U  R  R  E  I  H  S  U  M  N  G
```

BAROQUE	GUMDROP	POACHING
BRIQUETTES	HICCUPPING	POSTING
CRASHING	LLANO	SMOOTHLY
DETONATIONS	MADDENINGLY	STORAGE
ELIDES	MIASMAS	TRICKED
EMULATIONS	MUSHIER	
EQUALIZE	OOPSES	
FOREORDAINS	PLEADER	

Assorted Words 36

```
J  F  A  R  D  E  F  L  E  C  T  I  O  N  S
S  S  I  E  A  R  T  H  S  H  A  K  I  N  G
Q  D  N  L  I  F  L  S  H  T  G  N  E  L  I
B  Q  R  O  I  N  C  W  T  W  K  I  G  U  N
P  A  R  A  I  N  E  H  O  A  X  I  N  G  S
F  X  B  W  O  T  A  X  O  Q  R  K  H  I  T
O  R  E  A  P  B  I  P  O  N  W  B  E  J  A
Y  P  E  X  R  S  K  D  M  R  O  Z  L  Y  L
U  L  E  T  C  O  A  C  E  A  A  R  V  G  L
S  E  N  D  U  I  N  G  A  P  C  B  S  C  A
P  S  Y  E  I  S  O  E  O  L  X  S  L  H  T
V  B  R  R  V  M  X  T  S  T  B  E  O  Y  I
Z  X  I  L  B  E  T  Z  S  S  J  I  B  A  O
C  O  M  P  U  T  E  R  I  Z  E  D  P  A  N
Y  K  W  W  C  H  E  R  O  O  T  S  S  R  L
```

BARONESSES   ENDUING   STOIC
BLACKBOARDS   EVENLY   TOGAS
BRATS   EXPEDITIONS
CAMPANILI   HOAXING
CHEROOTS   HONORS
COMPUTERIZED   INEXORABLY
DEFLECTIONS   INSTALLATION
EARTHSHAKING   LENGTHS

Assorted Words 37

```
R  D  E  S  R  O  D  N  I  R  O  W  A  L  P
E  E  D  F  G  W  F  S  N  R  U  T  P  U  A
I  S  B  S  O  N  H  O  U  T  S  E  L  L  L
S  T  S  D  E  R  I  I  R  O  A  D  S  K  L
O  R  R  E  D  I  C  T  S  T  W  Q  Q  M  I
L  U  E  F  H  E  G  E  A  P  U  S  M  O  A
A  C  D  R  K  C  P  O  F  R  E  N  E  L  T
T  T  U  I  E  N  N  A  L  U  E  R  E  M  I
I  I  C  S  W  T  O  A  C  O  L  P  E  S  V
N  O  E  K  W  T  T  T  L  S  M  N  O  D  E
G  N  D  Y  S  U  U  A  T  A  D  Y  E  O  S
I  S  H  A  D  O  W  Y  H  I  V  N  T  S  C
S  E  T  A  N  G  A  T  S  C  E  A  A  E  S
T  E  Z  I  N  R  E  T  A  R  F  S  V  L  L
C  W  A  C  J  T  S  O  M  R  E  H  T  E  N
```

AVALANCHES	FRATERNIZE	PALLIATIVES
CHATTERERS	FRISKY	REDUCED
COOPERATING	INDORSED	ROADS
DESTRUCTION	ISOLATING	SHADOWY
EDICTS	KNOTTIEST	STAGNATES
ETYMOLOGIES	LANDSCAPE	UPTURNS
FORCEFULNESS	NETHERMOST	WHISPERED
FORTUNES	OUTSELL	

Assorted Words 38

```
E  A  F  N  E  C  U  L  O  T  T  E  S  V  D
D  W  I  G  E  T  H  L  U  F  I  C  R  E  M
S  R  F  T  O  V  E  S  B  N  X  O  F  T  R
R  R  T  K  I  P  P  K  I  K  D  N  Z  C  E
T  S  E  V  P  L  H  P  S  K  I  T  B  A  A
Y  G  E  N  N  S  I  E  T  A  C  R  D  L  D
I  G  N  I  G  U  D  M  R  L  B  A  E  L  A
H  Q  S  I  V  I  G  E  O  S  K  B  R  A  B
A  E  R  Z  F  A  A  H  S  L  N  A  E  B  I
L  D  U  M  D  M  N  P  S  U  H  N  S  L  L
F  O  U  N  T  A  I  N  M  A  S  D  N  E  I
W  N  S  G  N  I  F  F  O  A  L  N  H  V  T
A  C  L  G  N  I  L  L  I  H  C  F  E  M  Y
Y  K  A  R  A  T  S  R  E  M  R  A  H  C  H
F  H  C  R  O  S  S  B  R  E  E  D  I  N  G
```

BASKET

BISTROS

BRACKISH

CALLABLE

CAMPAIGNERS

CENSUSED

CHARMERS

CHILLING

CONTRABAND

CROSSBREEDING

CULOTTES

DERES

FIFTEENS

FLASHGUN

FOUNTAIN

GOPHERS

HALFWAY

KARATS

MERCIFUL

MILITIA

NAVIES

OFFINGS

READABILITY

Assorted Words 39

```
G  J  K  S  C  C  H  A  M  B  U  R  G  E  R
S  N  E  F  L  M  V  N  S  O  D  S  W  S  I
S  E  I  F  L  I  G  H  T  N  E  O  B  F  N
J  E  L  D  F  O  A  K  J  G  A  C  X  E  D
C  J  S  D  N  E  T  H  H  O  R  I  K  S  U
D  Q  L  U  A  E  R  I  N  S  R  E  V  T  S
D  S  N  R  I  E  R  V  L  M  I  T  G  A  T
E  U  A  H  T  D  R  T  E  L  V  I  P  L  R
R  U  X  U  E  K  A  T  R  S  A  E  P  Z  I
E  T  T  F  U  Q  O  R  C  A  C  S  A  B  A
C  T  R  I  P  L  E  T  H  L  E  E  O  X  L
T  U  Q  E  P  E  R  I  O  D  F  H  N  F  L
S  T  S  E  U  Q  F  C  R  E  D  L  O  C  Y
B  N  E  L  O  P  S  I  D  E  D  L  Y  A  E
Q  J  D  E  H  S  I  N  R  A  G  I  U  E  Q
```

AVIANS	FLIGHT	PERIOD
BONGOS	FLOTILLA	QUESTS
CHORD	GARNISHED	RADIUSES
COLDER	HAILS	SOCIETIES
CROQUETTE	HAMBURGER	TREADLES
EFFERVESCENCE	HEARTRENDING	TRIPLET
ERECTS	INDUSTRIALLY	
FESTAL	LOPSIDEDLY	

Assorted Words 40

```
L  O  B  B  Y  P  R  O  T  R  U  D  E  D  O
P  N  D  S  S  T  R  O  S  E  R  X  H  H  D
R  U  S  I  T  K  I  G  S  K  B  J  Y  I  I
E  T  W  T  G  N  N  W  F  C  U  F  S  L  M
S  R  E  U  D  D  A  I  R  Y  I  N  G  I  M
T  I  E  A  C  E  F  C  L  H  R  H  Y  C  A
O  T  P  T  C  N  P  S  I  O  Z  J  T  K  T
C  I  I  E  B  M  C  I  R  N  B  Z  T  E  U
K  O  N  D  B  U  R  G  L  E  U  O  D  D  R
E  N  G  N  I  L  A  C  S  A  P  M  B  Y  I
D  E  D  D  I  R  G  D  W  F  T  O  M  V  T
S  E  L  A  N  I  F  R  I  C  E  O  O  O  Y
Q  H  A  B  I  T  U  A  T  I  O  N  R  L  C
Y  L  E  T  A  R  E  D  I  S  N  O  C  Y  B
V  Q  N  C  H  I  N  G  I  N  G  Y  M  Z  F
```

BLOOPERS	ETHICS	NUTRITION
BOBOLINKS	FINALES	PROTRUDED
BURGLE	GRIDDED	RESORTS
COMMUNICANTS	HABITUATION	RESTOCKED
CONSIDERATELY	HINGING	SCALING
DAIRYING	IMMATURITY	SITUATED
DEATH	LICKED	SWEEPING
DEPILATORY	LOBBY	

Assorted Words 41

```
T  I  F  S  E  C  N  E  D  I  C  N  I  N  S
L  H  O  L  L  I  E  S  E  T  I  S  B  E  W
M  P  G  N  I  L  I  C  N  O  C  E  R  T  B
I  N  H  I  V  E  S  T  E  E  T  O  T  A  L
S  P  C  U  R  I  I  B  D  E  N  N  I  H  T
A  A  O  N  X  H  N  S  B  E  Y  K  I  E  Q
D  Y  T  W  M  K  T  R  E  H  M  B  Y  X  P
V  X  T  F  E  Q  E  R  E  H  B  M  O  P  K
E  B  O  I  O  L  C  R  O  G  S  D  A  U  J
N  Z  N  R  L  O  B  O  A  F  A  I  H  R  E
T  O  T  R  C  I  T  A  N  I  L  L  M  G  C
U  K  A  T  L  A  B  B  R  I  N  K  S  A  V
R  H  I  K  H  I  M  E  A  O  C  Y  T  T  F
E  E  L  I  S  S  I  M  D  L  D  A  G  E  R
S  P  H  A  R  Y  N  G  E  A  L  A  L  D  Q
```

ADORABLE
BRINKS
CONICAL
COTTONTAIL
CRAMMED
DEBILITY
EXPURGATED
FAMISHES

FOOTBALL
FORTHRIGHT
HIVES
HOLLIES
INCIDENCES
MACRO
MISADVENTURES
MISSILE

PHARYNGEAL
RAINY
RECONCILING
REGALS
TEETOTAL
THINNED
WEBSITES

Puzzle #42
Assorted Words 42

```
V U E L I B L T W T G E F K X
O G P S A H I L U N C H E O N
C T N L U I G N I S R U O C S
Z O S I N O R P Y K A E N S J
D K N U R D M A E U O G M C T
N S V V O E E E S R O V A F Q
S A E C E I B T H R S A L I S
E E S T H X R M S P E O A Q T
T R C A A I I T U E S V N M C
H O O I L G F T S C F A D A H
R B M P V I O F Y U N I L A L
D I C J S O Z R O Y L E N B U
S W A R T S N E R N L L K A B
N P E R J U R E D A W T I T M
Z K I N D E R G A R T E N N H
```

ADVERSARIAL
ARROGATES
BLASPHEMOUS
CHIFFON
CONVEXITY
COURSING
DRUNK
ENCUMBERING

FAVORS
GHOST
ILLUSTRIOUS
KINDERGARTEN
LUNCHEON
MANIFESTED
NASALIZED
NOVICES

PERJURE
PERSONAL
SNEAKY
SPORE
STRAWS

Assorted Words 43

```
I  Y  F  K  Q  V  D  E  R  O  T  C  O  R  P
P  Y  L  B  I  S  N  O  P  S  E  R  N  H  M
D  V  E  L  O  P  E  G  D  I  R  P  N  P  E
D  V  L  K  A  C  T  I  L  R  A  T  S  V  T
Y  E  E  V  A  C  K  I  W  O  L  L  A  T  A
X  L  V  S  N  O  I  T  U  N  I  M  I  D  M
H  F  E  I  C  S  S  G  N  I  K  A  M  L  O
S  L  L  R  L  I  T  M  O  E  Q  E  O  U  R
L  A  L  A  U  S  L  N  Z  L  D  W  W  M  P
I  S  E  U  R  T  M  A  A  P  O  I  C  I  H
T  H  R  O  Q  E  A  J  H  L  E  E  V  G  O
T  B  T  I  C  Z  C  M  W  P  P  D  D  E  S
I  A  C  C  A  V  E  A  T  T  E  D  A  I  E
N  C  D  R  A  O  B  A  E  S  J  C  I  L  S
G  K  X  O  R  G  A  N  I  C  A  L  L  Y  S
```

CAVEATTED	MAKINGS	RIDGEPOLE
CEPHALICS	MATURELY	SEABOARD
DEVILS	METAMORPHOSES	SLITTING
DIMINUTIONS	ORGANICALLY	STARLIT
EVIDENT	PEDALS	TALLOW
FLASHBACK	PLANTS	
IDEOLOGICALLY	PROCTORED	
LEVELLER	RESPONSIBLY	

Assorted Words 44

```
R  T  S  E  F  I  R  A  N  O  T  H  E  R  M
F  M  L  R  S  S  Y  E  K  O  P  Y  N  I  L
C  A  D  R  E  S  L  D  E  O  E  D  I  V  U
H  R  N  S  D  S  U  A  Y  I  N  W  F  A  M
T  A  I  L  E  E  I  Y  C  M  V  O  O  L  I
S  T  C  E  N  T  R  A  L  I  Z  E  S  R  N
O  H  M  J  N  S  A  I  R  Y  N  F  Z  Y  E
A  O  M  Q  J  I  P  T  P  P  E  O  L  G  S
K  N  P  N  Z  U  F  E  U  M  P  C  C  T  C
I  T  Y  P  H  O  O  N  S  M  U  A  A  C  E
N  U  H  Y  P  O  C  H  O  N  D  R  I  A  N
G  N  I  L  F  I  R  E  A  C  H  E  S  F  T
S  H  A  O  S  C  R  E  W  B  A  L  L  S  O
A  G  Z  S  N  O  I  T  A  I  T  I  N  I  G
O  L  A  T  I  B  R  A  B  O  N  E  H  P  B
```

ANOTHER	LUMINESCENT	RIVALRY
APPRAISERS	MARATHON	SCREWBALLS
CADRES	MUTATES	SOAKINGS
CENTRALIZES	PHENOBARBITAL	TYPHOONS
CONFINE	POKEYS	UMPIRED
CONICALS	REACHES	VIDEOED
HYPOCHONDRIA	RIFEST	
INITIATIONS	RIFLING	

Assorted Words 45

```
C O N S E Q U E N C E P K S F
D E S O P S I D N I R R H P R
I Y X D Z R I L S O U T N H A
N S A E E T E M I N X K A E V
S A O X R T T I O A O I V R I
T B R A Z E N S M R T I O E N
A Z A M R M T A O M P H S U G
B R P P H E R P L S U M G E S
I E I L A T D V U S N R O I L
L P D E G N I M O R H C C C H
I O E D P S C O R E B O A R D
T S S D A I X Y H P S A R M A
Y I T F G N I Z I M O N O C E
Q N G N I Y F I T R O F R Y D
T G C Y R E T T U L F D V M G
```

ABRUPTER	EXAMPLED	RAPIDEST
ASPHYXIA	FLUTTERY	RAVINGS
BRAZENS	FORTIFYING	REPOSING
CHROMING	HIGHTAIL	SCOREBOARD
COMPROMISE	INDISPOSED	SLANTED
CONSEQUENCE	INSTABILITY	SOARED
CRUMMIER	LESIONS	SPHERE
ECONOMIZING	NOXIOUS	

Assorted Words 46

```
S  Z  O  V  E  R  H  A  N  G  I  N  G  U  N
P  Y  L  T  N  A  R  E  B  U  X  E  Q  Z  B
H  I  S  E  S  A  E  S  I  D  E  Q  S  T  P
I  C  G  N  G  E  Y  D  C  Y  M  Y  T  E  O
N  A  W  N  I  N  M  D  E  S  Z  F  I  S  R
X  T  S  I  T  A  I  E  O  T  O  G  P  D  T
E  A  B  L  N  R  L  Z  R  O  U  I  P  M  I
S  P  Z  S  E  G  E  R  I  T  W  M  L  E  O
Y  U  Q  U  Q  E  S  Z  E  S  X  L  I  D  N
E  L  S  E  P  I  P  G  A  B  A  E  N  U  E
L  T  O  W  S  R  E  V  O  L  M  T  G  L  D
A  J  R  A  I  N  B  O  W  S  B  A  N  L  W
A  I  L  I  H  P  O  R  C  E  N  B  H  A  Y
G  V  E  T  A  L  U  M  R  O  F  E  R  C  F
L  U  A  J  S  E  H  C  N  U  P  Y  E  K  J
```

ASLEEP	FANTASIZING	PORTIONED
BAGPIPES	GIMLET	RAINBOWS
BLAZER	KEYPUNCHES	REFORMULATE
CATAPULT	LOVERS	SPHINXES
CHAMBERLAINS	MEDULLA	STIPPLING
DISEASES	MUTED	WINGS
EXTREMEST	NECROPHILIA	WOODY
EXUBERANTLY	OVERHANGING	

Assorted Words 47

```
S  B  A  Q  W  P  E  T  R  I  F  I  E  S  I
O  S  Z  E  R  A  W  N  E  H  C  T  I  K  C
D  S  E  K  E  H  T  N  E  E  T  H  G  I  E
D  B  I  R  T  H  I  N  G  J  H  L  N  S  S
E  Y  O  C  U  N  D  I  S  P  E  N  S  E  R
N  I  P  O  D  T  E  G  E  F  A  M  E  X  S
S  K  G  D  K  E  A  M  F  P  Z  C  A  H  S
X  T  I  I  Y  M  M  E  D  C  G  P  S  O  O
V  Q  E  N  Y  L  A  A  R  R  Z  E  I  R  L
T  D  O  G  K  D  N  R  R  C  A  U  D  T  I
W  E  W  D  R  I  E  E  K  C  O  B  E  J  C
O  W  L  A  E  A  E  B  P  I  A  M  M  V  I
I  P  D  B  J  V  T  R  M  O  N  T  I  O  T
D  I  S  C  O  M  M  O  D  I  N  G  E  O  B
D  R  S  V  D  G  N  O  I  T  A  L  I  D  W
```

BIRTHING	DISPENSER	PETRIFIES
BOMBARDMENT	EIGHTEENTH	SEASIDE
BOOKMARKING	EXHORT	SODDEN
CODING	GOBLET	SOLICIT
CREATURES	IMBED	TARGETS
DEMARCATED	KINKIER	
DILATION	KITCHENWARE	
DISCOMMODING	OPENLY	

Assorted Words 48

```
Z  W  C  K  O  H  M  E  N  S  W  E  A  R  L
M  O  T  I  V  A  T  E  D  E  T  L  Z  T  B
C  R  K  B  C  G  N  I  H  C  N  U  M  S  N
L  R  E  L  E  A  S  E  S  H  I  C  O  L  C
A  E  X  A  A  Z  G  G  W  U  N  I  I  R  C
U  I  U  C  P  I  G  N  I  P  O  D  F  A  G
N  I  N  K  T  P  T  O  I  F  L  A  K  Y  T
D  O  D  J  Q  S  L  N  V  R  U  T  L  K  I
R  J  D  A  E  C  P  I  E  P  R  E  W  A  R
E  E  S  C  R  C  S  R  E  D  N  A  L  S  I
S  N  M  K  W  E  T  E  U  S  I  P  H  S  R
S  M  B  M  F  U  G  O  P  C  C  V  A  C  P
E  D  Z  G  U  A  L  N  R  O  E  D  O  P  A
S  E  X  H  A  L  A  T  I  O  N  S  T  R  Z
Z  J  I  C  S  V  G  A  T  L  H  E  T  A  P
```

BLACKJACK
CHARRING
DOPING
ELUCIDATE
EXHALATIONS
GLUMMER
GROUT
INJECTOR

ISLANDERS
LAUNDRESSES
LINGER
MENSWEAR
MOTIVATED
MUNCHING
NOPES
PREWAR

PROVIDENTIAL
REAPPLIES
RELEASES
SPRUCEST

Assorted Words 49

```
L  S  S  Y  S  G  R  D  E  R  E  G  N  O  M
R  A  B  C  G  H  N  O  L  S  O  V  N  S  K
E  N  O  E  L  N  P  I  T  N  Y  P  J  X  P
D  I  W  N  L  A  I  A  R  I  E  A  E  D  R
U  T  P  T  Q  C  M  N  R  A  R  D  L  S  A
N  I  U  R  G  A  H  B  E  G  E  E  R  S  D
D  Z  R  I  E  N  S  E  A  T  O  B  H  U  U
A  E  P  F  H  I  I  S  D  K  H  E  R  N  B
N  D  O  U  Y  J  K  H  E  N  E  G  M  O  I
C  S  S  G  M  D  B  A  C  S  U  S  I  I  F
I  I  E  E  Z  M  T  Q  E  N  S  O  P  R  M
E  N  L  L  G  L  I  D  E  R  I  E  D  E  B
S  Y  Y  A  S  L  U  F  P  U  C  L  S  E  Q
T  X  M  U  D  I  U  G  N  A  L  A  F  M  R
Q  T  D  E  U  R  T  S  N  O  C  S  I  M  G
```

ASSESSES	FLINCHING	MONGERED
BELCHED	FORBEARING	PURPOSELY
BRIGHTENING	GLIDER	REDOUND
BURDEN	INHERITOR	REDUNDANCIES
CENTRIFUGE	ISLES	ROPES
CLAMBAKES	LANGUID	SANITIZED
CREAKIER	MIMEOGRAPHS	SLAYS
CUPFULS	MISCONSTRUED	

Assorted Words 50

```
E  S  E  I  R  O  T  S  E  R  E  L  C  M  H
R  N  H  G  N  I  D  I  R  E  D  R  U  X  J
B  D  E  F  O  R  M  I  T  Y  E  E  F  T  M
R  E  P  L  E  H  S  U  N  U  P  X  F  U  G
Q  I  S  Y  S  O  B  R  N  R  A  O  E  M  E
H  M  R  E  T  E  U  Q  E  P  E  T  D  L  R
I  P  G  S  V  I  L  S  K  G  A  I  Z  R  E
S  A  U  W  R  L  L  P  T  T  N  C  Z  E  U
T  L  E  I  L  O  E  A  M  S  S  A  K  V  N
O  A  R  M  I  L  T  H  R  I  P  L  D  E  I
R  S  I  S  G  Y  P  S  S  E  D  L  T  N  T
I  S  L  U  H  I  R  E  U  K  N  Y  U  T  E
C  P  L  B  T  Y  O  U  F  J  O  E  O  U  Q
A  G  A  M  E  C  O  C  K  S  D  O  G  A  S
L  Z  S  B  D  X  F  J  P  G  N  A  B  L  K
```

ADJUSTORS	ENDANGERS	IMPALAS
BOOKSHELVES	EVENTUAL	LIGHTED
BULLETPROOF	EXOTICALLY	OUSTS
CLERESTORIES	GAMECOCKS	PAEANS
CUFFED	GENERALITY	REUNITE
DEFORMITY	GUERILLAS	SWIMS
DERIDING	HELPER	UNPACK
DIMPLES	HISTORICAL	

Assorted Words 51

```
S  L  S  C  H  N  S  N  O  W  S  H  E  D  E
G  N  I  T  A  G  I  V  A  N  Y  Q  M  P  H
Y  Y  V  R  E  T  R  A  I  N  I  N  G  A  P
P  L  A  T  F  O  R  M  I  N  G  C  F  B  Y
M  S  C  O  L  L  E  C  T  I  V  I  Z  E  D
A  B  Y  R  E  D  R  A  O  B  Y  E  K  M  U
X  W  R  P  P  R  E  M  I  E  R  E  D  Q  T
I  K  S  L  E  S  A  E  K  P  L  C  J  L  G
M  S  G  G  O  G  V  O  T  S  U  D  W  A  S
A  C  I  L  O  C  H  I  R  O  P  O  D  Y  G
G  N  I  T  C  U  D  N  O  C  W  Y  I  E  W
H  I  Y  O  S  W  G  G  Q  J  Q  C  H  R  E
F  E  V  A  T  S  R  E  K  N  U  H  S  E  G
W  S  B  K  A  O  M  I  S  T  E  D  T  D  D
Z  X  S  J  M  A  R  G  O  I  D  A  R  B  A
```

CAMEOING
CHIROPODY
COLIC
COLLECTIVIZED
CONDUCTING
EASELS
GOUGES
HUNKERS

KEYBOARDER
LAYERED
MAXIMA
MISTED
NAVIGATING
PLATFORMING
PREMIERED
RADIOGRAM

RETRAINING
SAWDUST
SNOWSHED
STAVE

Assorted Words 52

```
G  R  Q  Y  K  C  A  T  B  Q  E  X  V  U  R
F  R  B  I  T  Y  R  L  U  U  T  V  D  C  I
S  S  A  D  D  I  C  R  F  D  T  F  O  C  Q
K  P  C  P  E  S  U  L  F  U  Z  T  F  K  U
M  U  K  C  H  N  G  N  I  R  U  T  A  M  E
A  L  P  T  N  E  U  J  N  C  L  J  P  J  N
N  P  A  F  S  A  D  T  G  A  K  V  J  Q  B
D  I  C  O  T  O  U  C  H  S  T  O  N  E  S
O  E  K  G  E  H  A  R  A  S  S  M  E  N  T
L  S  E  G  S  E  L  B  M  U  H  G  F  X  H
I  T  D  E  L  E  C  T  O  R  A  T  E  G  I
N  D  F  D  M  C  O  N  V  E  Y  O  R  S  N
P  Y  T  I  L  A  C  O  L  D  T  C  J  D  D
A  Z  L  E  L  B  A  T  C  E  R  R  O  C  Z
D  E  Z  X  Z  R  E  N  O  H  P  A  G  E  M
```

ANNUITY	EVOKE	MEGAPHONE
ASSURED	FOGGED	PULPIEST
BACKPACKED	GRAPHED	TACKY
BUFFING	HARASSMENT	TOUCHSTONES
CLICK	HUMBLES	TUNED
CONVEYORS	LOCALITY	
CORRECTABLE	MANDOLIN	
ELECTORATE	MATURING	

Assorted Words 53

```
N  G  N  I  S  I  D  N  A  H  C  R  E  M  G
M  N  O  M  O  S  E  M  U  F  M  E  Z  K  L
S  I  X  X  L  T  B  Y  B  P  H  L  A  K  I
N  R  C  E  H  I  A  V  E  R  R  I  N  G  T
D  S  E  H  P  W  T  P  I  R  W  B  K  Q  T
O  E  T  V  A  U  A  E  R  F  Z  J  L  U  E
R  V  L  I  I  C  B  N  H  A  G  F  E  I  R
T  O  E  I  R  L  L  E  Y  T  L  W  S  B  I
G  J  T  R  C  E  E  S  S  L  I  I  M  B  N
F  N  O  A  W  I  H  D  Q  B  E  P  N  L  G
T  H  A  H  R  O  M  N  H  Y  A  R  E  E  S
O  C  D  J  C  Y  R  O  I  S  S  U  E  S  S
K  M  Y  W  D  V  Y  K  D  S  L  M  V  M  L
T  L  S  R  E  N  O  I  S  S  I  M  M  O  C
D  E  T  A  T  I  L  I  C  A  F  D  R  B  J
```

ANKLES
AVERRING
COMMISSIONERS
DEBATABLE
DELIVERS
DISINHERITS
DOMICILED
EPITHET

FACILITATED
FUMES
GLITTERINGS
ISSUE
MERCHANDISING
MERELY
OVERWORKS
PENES

PRALINES
QUIBBLES
ROTARY
TOADY

Assorted Words 54

```
E  Z  I  L  A  U  D  I  V  I  D  N  I  P  O
E  X  H  C  D  F  G  U  L  O  T  E  G  H  I
O  D  L  V  O  P  S  E  C  E  D  E  Y  O  R
F  R  A  T  S  N  E  B  I  Q  E  N  B  N  E
H  F  T  S  E  L  T  T  I  R  B  C  R  I  M
S  R  Y  O  M  V  Y  I  A  N  C  K  H  N  I
S  K  C  A  P  N  U  T  N  L  F  E  S  E  N
I  S  P  O  L  S  O  W  C  U  A  U  W  S  D
Q  B  L  B  O  P  O  K  K  A  A  C  S  S  E
R  A  B  B  Y  M  A  R  A  U  D  S  S  E  R
G  O  A  L  I  N  G  Z  K  U  X  Q  O  E  S
L  Y  L  G  N  I  T  A  T  I  S  E  H  E  B
O  E  S  G  G  I  M  M  U  T  A  B  L  Y  S
J  G  G  B  R  E  E  Z  E  Z  G  S  L  X  W
H  A  T  S  E  H  T  R  U  F  P  V  Z  Q  B
```

BREEZE	GOALING	REMINDER
BRITTLEST	HESITATINGLY	SECEDE
CONTINUA	IMMUTABLY	SLOPS
DACTYLS	INDIVIDUALIZE	UNPACKS
EMPLOYING	INFUSES	
ESCALATE	LEECHED	
FRATS	MARAUDS	
FURTHEST	PHONINESS	

Assorted Words 55

```
C  Z  S  E  E  N  K  N  E  H  A  E  P  E  P
D  V  B  T  X  D  E  N  E  D  D  A  M  L  E
V  E  Y  A  W  C  Z  Q  L  W  Y  I  U  A  R
E  P  K  L  C  E  U  K  M  A  N  L  V  N  V
R  T  H  O  S  V  E  S  L  U  T  S  O  D  A
Y  A  R  E  R  S  N  T  I  K  K  E  C  S  D
J  M  B  E  X  T  E  E  E  N  R  I  R  C  E
D  O  C  A  S  H  S  L  N  D  G  Z  D  A  D
J  E  W  Z  N  S  I  Y  M  A  W  E  D  P  L
C  B  L  Q  V  N  G  L  O  R  I  F  I  E  S
J  A  L  D  L  L  I  S  A  X  A  A  F  R  A
P  E  T  Y  N  M  M  C  W  R  F  H  N  S  G
K  O  G  T  B  A  V  J  S  N  A  H  K  U  T
M  J  P  J  L  E  D  E  R  E  H  T  A  E  W
P  J  L  O  U  E  M  O  T  I  O  N  E  A  O
```

AMOEBAE	HARMLESSLY	PERVADED
CATTLE	KHANS	SEIZE
CINNABAR	KNEES	STROKED
DANDLED	LANDSCAPERS	TRESS
EMOTION	LATERAL	TWEETED
EXCUSING	MADDENED	WEATHERED
EXHILARATE	MAWED	
GLORIFIES	PEAHEN	

Assorted Words 56

```
A  V  K  P  D  H  Y  R  O  T  L  U  S  E  D
R  M  D  E  R  E  N  O  G  R  O  F  I  N  Q
A  P  B  E  A  Y  T  C  N  V  Q  A  N  G  L
C  L  K  A  Z  E  L  A  R  H  L  P  S  I  W
I  A  I  I  S  I  J  A  L  I  C  T  U  N  P
S  Y  S  N  J  S  L  A  R  O  C  Z  L  E  U
T  G  S  S  D  G  A  A  S  O  M  K  T  E  R
S  R  E  P  U  R  G  D  N  M  T  M  S  R  V
G  O  D  E  E  A  N  O  O  I  I  I  N  E
E  U  O  C  V  S  G  G  I  R  I  N  L  K  Y
A  N  G  T  P  S  U  I  O  L  I  T  E  C  E
C  D  X  Q  S  I  H  V  N  N  G  A  C  X  D
I  S  G  R  W  E  P  T  Q  G  F  N  L  I  L
M  W  B  L  T  S  Z  Y  Z  L  Y  L  A  R  F
M  B  O  Y  L  T  N  A  I  D  A  R  Y  F  T
```

AMBASSADORIAL	FICTIONALIZED	PLAYGROUNDS
ANGLING	FORGONE	PURVEYED
ASSUAGING	GRASSIEST	RACISTS
CLITORAL	IMMOLATED	RADIANTLY
CRICKS	INSPECT	
DESULTORY	INSULTS	
DRAGONFLY	JASMINE	
ENGINEER	KISSED	

Assorted Words 57

```
B  G  E  C  D  B  N  S  R  Y  R  C  G  N  L
A  R  A  S  B  E  A  I  E  E  P  A  F  J  P
R  O  I  J  N  R  Z  C  B  S  N  I  F  G  S
M  S  I  M  O  E  Q  I  H  A  P  A  V  F  L
A  S  R  Y  D  N  F  Z  R  E  T  A  E  N  I
D  E  S  O  D  E  Q  F  P  O  L  K  L  L  V
A  R  A  E  T  N  H  U  O  V  M  O  H  E  E
S  L  J  B  R  A  I  S  I  N  G  A  R  B  R
U  E  A  Y  I  U  T  W  A  L  Q  U  L  G  E
N  B  H  B  F  R  T  N  B  C  S  T  C  G  D
B  C  I  C  E  S  T  P  E  C  N  O  C  S  A
U  J  S  I  I  L  U  H  I  M  U  S  S  E  S
R  X  M  K  C  R  L  T  D  R  M  L  G  A  N
N  O  Z  Q  X  G  N  E  K  A  C  O  A  O  V
C  O  D  T  S  O  P  E  D  A  Y  S  C  F  Z
```

ARMADAS	ENRICHES	POSTDOC
BACHELOR	GLAMORIZED	RELAPSES
BIRTHDAY	GROSSER	SCRIPTURES
BRAISING	JONQUILS	SLIVERED
CASHED	LABELLED	SUNBURN
COMMENTATORS	LEANER	WINDY
CONCEPTS	MUSSES	
EATER	OFFENSE	

Assorted Words 58

```
D E P R O G R A M M I N G Y M
B M A R K U P S A N D E D I F
P W H V C Q P D E T N I O J K
U G D I I H Z K C H A Q G P M
R M N T X B O G O Q S Z R A I
E Q D I M G O P M R J U Z T N
B C X A T C O M P O T E G R I
R Q D T E C M C L I M K H I B
E T A E M R E P A B N Y S M U
D S M S A P S T C U Y G L O S
Y A W E V I R D E D T J A N E
Z M A T Z O H S N D R B L I S
T N A N I M R E T E D Z O E S
G N I R E T T E L D Q P M S P
E T A L U V O M Y P V X S P Q
```

BUDDED
CHOPPING
COMPLACENTLY
COMPOTE
DEPROGRAMMING
DETECTING
DETERMINANT
DRIVEWAY

GUSHES
JOINTED
LETTERING
MARKUPS
MATZOHS
MINIBUSES
OVULATE
PATRIMONIES

PERMEATE
PUREBRED
SANDED
SLALOMS
SPASMS
VITIATES

Assorted Words 59

```
E  A  T  A  B  L  E  S  S  S  C  L  M  H  U
N  W  O  R  D  S  T  J  T  N  H  A  K  D  B
S  Y  D  K  B  I  E  A  J  E  A  T  E  U  W
U  Z  W  V  S  R  G  S  X  B  N  L  A  F  M
B  H  U  F  F  I  E  R  I  I  T  O  P  P  R
M  R  D  P  Q  U  E  U  E  M  I  P  R  M  M
E  B  E  D  U  T  E  O  U  S  E  N  M  O  W
R  K  S  L  L  S  Y  Q  T  R  S  D  G  V  C
G  N  I  H  G  I  E  W  T  U  O  U  Y  Q  I
E  N  E  T  O  G  B  D  U  D  G  E  O  N  M
D  Y  I  H  I  J  A  C  K  I  N  G  S  P  A
M  Z  U  X  M  K  L  H  W  J  O  X  O  T  E
O  B  I  C  E  Q  L  D  E  T  R  O  P  E  R
G  N  I  D  A  V  N  I  U  O  Z  F  D  I  M
I  X  W  Y  L  T  H  G  I  N  T  R  O  F  D
```

CHANTIES	EYEBALL	PLANS
CORONETS	FORTNIGHTLY	QUEUE
DEMISES	HAGGLER	REPORTED
DIGRESS	HIJACKINGS	SUBMERGED
DROWN	HUFFIER	TAXIING
DUDGEON	INVADING	VEXING
DUTEOUS	OUTWEIGHING	
EATABLES	PATHS	

Puzzle #60

Assorted Words 60

```
D R A S T I C A L L Y J H W D
C Z K D E T A N O S R E P M I
T I D E R E T R O P F O L T N
A N N G I M M I C K R Y A A S
I W E N Y C N E D N E T N C T
H P Y C A Q X C U E E A D T R
V Y N G S B R G R C B M S I U
B V H J R E A L H A A M C C M
L U A T F A R R O W S P A S E
J W T L A B T C O B I A P J N
T A I T L P I U D T N S E Z T
B I K Q E E A H I G G T R N W
Z V R Z R C G A N T L A J X S
T E L L T A L E G A Y S E T S
J R V I S G O L D B R I C K S
```

ALERTS
ALLEGED
APATHY
BUTTE
CINNABAR
CRESCENT
DRASTICALLY
FARROWS

FREEBASING
GIMMICKRY
GOLDBRICKS
GRATUITY
IMPERSONATED
INSTRUMENT
JAMBED
LANDSCAPER

PASTAS
PORTERED
TACTICS
TELLTALE
TENDENCY
WAIVER

Assorted Words 61

```
V  A  Q  O  R  E  T  I  R  E  M  E  N  T  S
L  I  N  S  U  F  F  I  C  I  E  N  T  L  I
S  F  T  C  Y  S  E  D  U  C  E  R  Z  M  D
O  U  R  X  S  D  R  A  C  E  R  O  C  S  E
O  S  O  D  I  V  E  R  G  E  N  C  E  S  W
D  H  Y  P  E  R  T  E  N  S  I  O  N  W  A
L  Z  S  B  H  D  N  A  P  A  L  M  E  D  L
E  T  A  C  K  L  I  N  G  C  O  M  E  S  K
S  Y  M  H  T  Y  H  R  O  I  B  I  K  Q  S
V  R  V  U  P  E  L  B  A  I  L  T  O  J  X
O  L  A  R  G  E  S  S  F  L  A  M  I  N  G
B  G  S  E  O  T  I  N  O  B  N  E  V  A  H
Z  T  W  W  P  O  Y  H  C  R  A  N  O  M  I
E  I  U  D  R  P  J  A  C  K  E  T  S  L  E
B  L  I  A  S  S  A  Z  P  P  O  S  V  O  X
```

APPEARS	HAVEN	OODLES
ASSAIL	HYPERTENSION	RETIREMENTS
BIORHYTHM	INSUFFICIENT	SCORECARDS
BONITOES	JACKETS	SEDUCER
COMES	LARGESS	SIDEWALKS
COMMITMENTS	LIABLE	TACKLING
DIVERGENCES	MONARCHY	TROYS
FLAMING	NAPALMED	

Assorted Words 62

```
H  U  S  S  M  Q  N  E  R  V  O  U  S  D  T
A  G  R  N  S  L  U  B  R  E  L  A  P  T  L
N  C  O  Y  O  E  P  H  D  T  H  L  S  O  C
D  O  O  E  Z  I  N  C  O  V  E  T  T  N  B
S  L  B  N  K  J  D  H  Q  S  L  Z  I  N  H
O  F  E  S  J  R  S  R  C  E  T  W  Z  E  R
M  A  P  I  Q  U  A  D  O  R  L  A  S  S  N
E  Q  I  D  Y  D  R  Y  I  C  A  Y  P  G  S
U  K  G  N  I  P  P  O  F  A  C  Y  G  L  E
G  V  G  N  I  H  S  A  R  O  M  A  S  R  E
K  O  S  L  O  B  B  I  E  S  W  A  B  N  A
B  G  H  A  C  I  P  A  C  I  F  I  E  R  S
L  A  M  R  E  D  I  P  E  Y  J  U  D  L  C
D  S  A  C  M  U  T  A  T  I  O  N  S  K  Y
O  K  G  N  I  N  W  O  G  N  I  W  A  L  F
```

ACCORDIONS	FLAWING	NERVOUS
ARCHNESS	FOPPING	PACIFIERS
ARGYLE	GOWNING	PALER
AROMAS	HANDSOME	STAPLE
ASHING	LOBBIES	TONNES
CONJURORS	MAIDS	YIELD
COVET	MUTATIONS	
EPIDERMAL	NEITHER	

Assorted Words 63

```
B  W  S  Z  D  F  C  P  D  S  H  U  C  K  O
L  M  L  C  U  I  X  A  E  J  K  R  H  U  Q
B  R  K  P  I  K  F  F  U  L  R  N  B  R  Q
J  P  C  Q  U  A  R  F  D  S  I  Y  U  R  Q
D  L  N  A  J  Z  H  E  U  F  A  T  H  P  X
U  E  U  M  R  U  Z  C  S  S  D  L  S  J  E
D  O  L  M  E  N  D  L  R  C  E  Q  L  O  X
R  C  R  L  V  S  A  E  E  A  I  N  W  Y  H
T  Q  S  E  E  H  T  T  T  M  J  N  E  K  A
V  S  M  B  D  V  N  F  I  C  E  Q  D  S  U
E  W  T  G  E  E  O  Y  I  O  I  N  F  F  S
X  H  J  E  D  A  G  R  F  R  N  L  T  S  T
B  C  X  O  R  D  U  G  G  D  D  S  F  H  E
C  V  R  C  V  E  S  X  A  E  Z  X  J  N  D
H  S  X  D  Y  P  B  A  W  R  X  Z  N  I  I
```

ARCHAIC	DRIFTS	RESCIND
BEAUX	EXHAUSTED	SHUCK
BERETS	GROVELLED	
CAMCORDER	HOSTILE	
CARNATIONS	INFLICTED	
CAUSALLY	PUNKS	
DIFFUSENESS	PUZZLEMENT	
DOLMEN	RAGGEDER	

Assorted Words 64

```
V Y P G K V R O Y G X X G A B
M A L G F Z Y F E T H Y M R Y
A F E B U O U O O Q R A N H H
S U N N G E R R M Q J E N Q H
S D A N O E L G G A G F B Y F
E D R B G I S V E M S A F I M
U I I K E N T E K T O I Y F L
R R E U O S I A S W F L D E Q
S E S Z G Y T T M U J U A D I
N C H I L D R E N I T R L U S
I T S L A C K E D E T E N G Y
B E F X N O P P R E S S O R S
Z D Y E L B A R E M U N E F B
P E R P E T R A T I N G O Y L
S L A V E S E I R T S A P C Y
```

BESTED	FORGETFUL	PLENARIES
CHILDREN	GAGGLE	SLACKED
CONSENTING	LIBERTY	SLAVES
DIRECTED	MASSEURS	
ENUMERABLE	MYNAH	
ESTIMATION	OPPRESSORS	
FAILURES	PASTRIES	
FOETUSES	PERPETRATING	

Assorted Words 65

```
V  C  O  N  V  A  L  E  S  C  I  N  G  B  H
B  S  F  I  E  N  D  I  S  H  U  I  I  A  V
B  R  E  A  D  W  I  N  N  E  R  S  C  B  Z
X  O  A  S  Y  R  J  L  C  I  Q  R  O  Y  I
U  E  S  S  I  L  G  N  I  H  S  I  N  I  F
V  H  S  S  S  R  T  R  E  T  E  I  D  S  P
T  A  A  O  Q  E  O  N  Y  T  D  J  E  H  E
G  N  I  T  I  K  D  T  A  E  J  F  M  A  R
T  C  L  M  E  G  F  M  I  T  E  J  N  J  S
B  E  M  U  S  I  N  G  E  L  S  S  A  G  E
C  S  R  I  A  P  M  I  M  P  C  N  T  U  V
K  T  E  X  A  C  E  R  B  A  T  E  O  X  E
F  R  C  X  K  A  Y  A  K  I  N  G  R  C  R
H  A  S  S  L  E  D  T  Y  Z  O  U  Y  N  E
D  L  G  N  I  T  A  C  O  V  I  U  Q  E  D
```

ANCESTRAL	CONSTANTLY	IMPAIRS
ASSAIL	CONVALESCING	KAYAKING
BABYISH	DIETER	PERSEVERED
BEMUSING	EQUIVOCATING	
BRASSED	EXACERBATE	
BREADWINNERS	FIENDISH	
CLITORISES	FINISHING	
CONDEMNATORY	HASSLED	

Assorted Words 66

```
O  P  H  L  I  A  I  S  O  N  S  R  I  P  W
V  O  V  V  F  X  C  G  B  I  F  J  S  S  T
E  W  D  S  U  N  H  O  N  Z  A  I  Y  Y  R
R  E  A  K  R  G  U  B  M  W  X  T  I  C  A
A  R  N  G  I  E  N  N  C  E  M  N  B  H  G
C  F  K  M  O  D  K  I  S  H  L  E  O  O  G
T  U  E  B  U  X  S  C  R  W  I  Y  W  S  E
S  L  S  Z  S  R  V  P  A  A  O  D  P  I  D
O  L  T  G  R  C  K  A  O  H  E  R  I  S  L
O  Y  D  J  N  G  C  Y  G  O  W  L  R  N  Y
S  I  N  F  R  I  N  G  E  S  C  H  C  A  G
L  S  Y  R  A  L  L  I  X  A  M  I  S  Z  M
A  M  T  A  H  A  M  L  A  H  T  E  L  U  K
Q  E  D  I  T  O  R  I  A  L  I  Z  E  D  B
J  X  L  A  T  N  E  D  I  C  N  I  V  C  D
```

BUSHWHACKERS	EDITORIALIZED	MARROWS
CALLINGS	FURIOUS	MAXILLARY
CHIDING	INCIDENTAL	MURKY
CHUNKS	INFRINGES	OVERACTS
CLEARING	JITNEY	POWERFULLY
COMELY	LETHAL	PSYCHOSIS
COOPS	LIAISONS	RAGGEDLY
DANKEST	MAHATMA	

Assorted Words 67

```
P  S  S  F  A  N  N  I  N  G  D  M  C  U  G
A  I  E  S  K  H  B  M  F  S  W  S  O  N  U
K  O  C  H  E  S  U  I  V  A  H  J  M  I  I
Y  P  E  V  C  N  K  B  P  J  L  W  P  C  D
O  R  R  N  A  R  S  C  C  C  F  S  L  Y  E
Q  T  E  Y  P  D  U  S  O  A  R  R  E  C  D
R  P  M  V  R  Z  I  H  E  L  P  G  X  L  K
M  O  O  B  I  A  R  S  C  L  T  S  I  E  Y
P  S  N  M  C  L  B  F  M  H  R  N  T  S  H
A  I  I  C  I  H  E  T  Q  I  Y  E  I  Y  C
W  T  O  L  O  W  H  D  A  O  S  I  E  L  X
N  V  U  B  U  C  S  R  G  L  Y  S  S  H  F
E  A  S  B  S  T  K  S  R  E  K  C  A  H  C
D  L  L  V  L  O  O  L  P  I  B  K  L  L  A
D  P  Y  K  Y  A  Y  B  E  S  D  T  Y  W  S
```

BOTULISM	DISMISSALS	POSIT
CAPRICIOUSLY	FALSELY	UNICYCLES
CEREMONIOUSLY	FANNING	
CHEERLESSNESS	FLINTLOCKS	
CHURCHES	GUIDED	
COCKLE	HACKERS	
COMPLEXITIES	HUBCAPS	
DELIVERY	PAWNED	

Puzzle #68
Assorted Words 68

```
S T R A C T O R H Y K L I M G
T O R D X D E K R A P S T A O
A L P H A B E T I Z I N G R S
L R Z B C A P A B L Y R U I I
K E D C V S R I S I N G Y N E
E C G E C E G N I T I P S A X
R I F O R M I N G G O C Y D C
S T N E M E V A E R E B X E E
L E Y C I N D E R E D U A S L
N O P M A T S L O S T V Y J L
R Q L U V S J X U E D Z K P E
D R I N K E R S G O Q O A B N
S T I F F E N E D R B T O B T
E M B R O I D E R I N G P L N
G U P A I S B D E L L I K S F
```

ALPHABETIZING	EXCELLENT	RISING
BASEMENTS	FLOODS	SKILLED
BEREAVEMENTS	FORMING	SPARKED
BOULDERED	HAIRY	SPITING
CAPABLY	JABOTS	STALKERS
CINDERED	MARINADES	STIFFENED
DRINKERS	MILKY	TAMPON
EMBROIDERING	RECITE	TRACTOR

Assorted Words 69

```
D Y B M O O N L I G H T E D K
G Q E X O R C I Z E D E Z A N
Y N D R X C E S O N A R P O S
W L I I E R Y W S W O P P E D
E S T U S O G R O U N D H O G
S K T N D J I T E L A R B E Z
T P S S E N O D G T F T M Q S
H S E H A I E I I L T N F N R
A W I E O C N F N A O I R I J
N L G U L P E E A T R R L O L
K K Y D C S P L V I E I D G C
I S T L I T R E B N T D S L V
N O P U S H I E R A O H D T Y
G R A Z E S A W V S C C E L S
M E T A M O R P H O S E S D P
```

CABLECASTS
CONVENIENTLY
CORNFLOWER
DIARISTS
DISJOINTED
ENDUING
EXORCIZED
FAITHED

GLITTERY
GRAZES
GROUNDHOG
LORDLY
METAMORPHOSES
MOONLIGHTED
OVERSLEEPS
PUSHIER

SHOPPERS
SOPRANOS
SWOPPED
THANKING
TILTS
ZEBRA

Assorted Words 70

```
A  P  P  R  O  B  A  T  I  O  N  S  M  R  W
P  N  C  O  M  P  U  T  E  R  S  R  O  E  E
O  C  I  I  Y  Q  S  D  T  B  D  W  L  C  M
P  L  C  M  A  R  S  T  R  U  Y  F  D  R  U
L  V  N  M  A  O  A  J  C  E  N  I  I  I  S
E  M  Z  S  K  T  F  H  A  E  A  E  E  M  K
X  E  X  I  S  T  E  N  C  E  S  S  S  I  R
I  A  L  F  H  G  R  D  E  S  T  I  T  N  A
E  N  O  P  A  S  N  E  I  I  I  G  B  A  T
S  S  A  N  D  E  E  I  E  T  C  H  U  T  S
M  M  D  N  O  T  E  C  S  H  U  T  L  I  V
N  J  A  T  F  E  Z  E  I  W  K  E  L  N  B
Q  W  B  W  M  S  L  R  B  L  O  D  I  G  Z
P  Y  L  E  L  I  T  S  O  H  S  D  E  F  S
N  S  E  O  G  N  I  R  U  T  N  E  D  N  I
```

ANIMATED	DEICERS	MOLDIEST
APOPLEXIES	DOWSING	MUSKRATS
APPROBATIONS	DYNASTIC	NOELS
ATTUNES	EXISTENCE	RECRIMINATING
BISECTS	HOSTILELY	SIGHTED
BULLIED	INDENTURING	SLICES
CHARY	LOADABLE	
COMPUTERS	MEANS	

Assorted Words 71

```
S  G  H  P  A  R  G  O  H  T  I  L  P  M  N
D  T  N  D  S  C  L  I  C  E  N  S  I  N  G
N  G  R  I  I  T  C  T  X  T  E  K  A  S  S
X  S  Y  O  R  N  S  O  R  L  M  L  D  P  H
Q  C  S  I  N  A  E  A  R  A  E  Q  O  A  I
D  E  L  I  V  G  P  R  R  D  M  G  F  T  S
W  E  N  K  T  O  E  M  E  T  I  M  M  T  T
D  I  T  J  S  I  T  R  O  G  N  N  E  E  K
D  N  D  A  O  L  L  E  B  C  E  O  G  D  N
S  L  A  E  G  I  A  O  D  R  T  N  C  L  R
W  R  M  M  N  I  N  E  C  E  A  B  T  T  Y
E  B  B  R  R  I  L  I  D  X  B  I  D  S  E
K  L  E  B  M  U  N  B  N  S  W  R  S  J  C
E  Z  R  D  M  K  O  G  O  G  I  S  U  E  P
C  C  N  D  G  N  I  G  A  N  A  M  J  C  E
```

ACCORDINGLY	GOURMAND	SPATTED
BRAISE	LEGMEN	STRONGER
COLITIS	LICENSING	TRAMMED
COMPARING	LITHOGRAPH	UMBEL
CONTRASTS	MANAGING	VOTED
CURBED	MISDEALS	WIDENING
DINER	OBLIGATED	
ENJOINING	REGENTS	

Assorted Words 72

```
U  S  Y  N  C  H  S  B  C  Q  G  P  F  M  X
S  E  C  I  L  A  M  U  S  T  O  R  E  Y  S
J  N  L  L  T  L  W  G  I  X  U  T  H  J  R
L  S  O  D  N  N  Y  A  T  B  T  L  M  Y  I
V  I  N  I  X  E  S  B  M  S  I  X  O  H  N
T  I  A  O  T  B  G  O  V  E  E  W  T  F  T
B  W  S  V  I  A  E  O  B  W  S  T  O  M  O
S  R  C  A  E  T  S  S  L  M  T  D  R  D  X
F  Q  A  Y  E  R  A  N  E  A  O  V  I  U  I
D  A  R  V  L  D  P  X  E  E  H  C  S  I  C
U  K  B  L  I  N  T  Z  E  D  C  U  T  R  A
C  R  A  Z  I  N  E  S  S  N  N  H  S  R  T
J  D  E  P  I  R  G  O  V  Y  N  O  D  V  E
F  R  A  E  G  D  A  E  H  F  L  A  C  O  D
U  D  C  G  D  E  R  E  H  T  A  G  R  O  F
```

ANNEXATIONS	CURTEST	MOTORIST
BESEECH	FORGATHERED	PREVAIL
BLINTZE	GOUTIEST	STOREYS
BRAVING	GRIPED	SYNCHS
BUGABOOS	HALOGEN	VISAED
COMBOS	HEADGEAR	
CONDENSATION	INTOXICATED	
CRAZINESS	MALICES	

Assorted Words 73

```
P  R  S  T  V  R  P  Y  T  I  N  U  M  M  I
N  P  M  J  S  D  E  R  B  N  I  D  T  G  A
W  H  Z  E  Z  I  N  R  E  T  A  R  F  U  F
S  T  F  A  R  D  S  U  F  F  U  S  I  O  N
N  Y  M  F  R  E  E  L  O  A  D  E  D  Q  M
I  Y  L  E  T  A  R  U  D  B  O  V  G  B  I
G  P  J  P  M  D  M  R  P  M  G  Z  R  Z  N
H  H  O  O  W  B  U  Y  E  Y  Q  O  V  T  I
T  D  C  B  U  S  E  D  A  F  H  I  F  Q  S
C  S  T  N  I  O  P  R  E  T  N  U  O  C  T
A  D  N  D  U  F  C  E  S  S  P  O  O  L  E
P  Z  N  P  T  R  U  C  K  I  N  G  C  G  R
S  Y  G  N  I  H  C  A  O  R  C  N  E  O  I
O  I  R  Q  B  M  O  C  Y  E  N  O  H  W  A
Q  L  A  T  A  M  O  H  P  M  Y  L  B  T  L
```

CESSPOOL	FRATERNIZE	NIGHTCAPS
CONFERRER	FREELOADED	OBDURATELY
COUNTERPOINTS	HONEYCOMB	SUFFUSION
CRUNCH	IMMUNITY	TRUCKING
DRAFTS	INBREDS	
ENCROACHING	LYMPHOMATA	
FADES	MEMBER	
FOGBOUND	MINISTERIAL	

Puzzle #74
Assorted Words 74

```
C O N S T R I C T I O N S O T
I E C N E C S E R O U L F M S
U N D B S R E R E D N U A L O
D I T Y R E L L I T S I D P U
B E N E V O L E N C E Z T T T
J S T P R V W W V Q N B O O L
U M N A R F P B E G O L U M I
R U B O M I A R E W E H C A V
O G G U L I N C O A G O H I I
W G N I S O L C E B T V S N N
E L S Y J B C C E D O E A E G
D I R D E X W I C S D S N A M
X N I H L Y F E M A I L C X N
A G N I T A T S R E V O O I P
T R E A T Y B N Y U S B A B S
```

ACCLIMATED
BALDS
BENEVOLENCE
BROWBEATEN
CHEWER
CLOSING
CONSTRICTIONS
DISTILLERY

EMAIL
FLUORESCENCE
INTERFACED
LAUNDERERS
OUTLIVING
OVERSTATING
PRINCES
PROBOSCIS

PTOMAINE
ROWED
SEMICOLON
SMUGGLING
TOUCH
TREATY

Assorted Words 75

```
Z  N  S  R  E  E  D  L  L  I  K  N  B  W  C
F  Z  L  G  X  F  H  E  P  O  C  H  S  W  K
I  J  Y  E  M  B  V  Y  N  O  H  P  X  S  F
M  T  S  L  A  R  R  O  C  I  S  F  C  N  Y
Q  T  S  E  L  G  L  A  X  I  A  L  O  P  S
E  E  S  E  T  R  U  L  S  A  U  T  R  V  S
T  X  C  E  N  U  S  E  A  H  L  Y  R  Z  W
G  B  U  R  I  E  C  T  S  B  E  Z  E  U  X
T  L  F  D  F  N  E  E  A  I  E  S  C  P  C
H  E  I  Y  E  S  N  R  X  E  W  R  T  L  Q
F  Y  L  B  U  S  Z  U  G  E  R  Q  I  Z  T
I  N  M  U  B  T  K  V  F  S  O  T  O  F  T
G  V  I  S  A  E  G  C  O  W  H  A  N  D  S
H  V  E  V  V  P  S  A  U  V  Y  B  A  E  Z
T  N  R  Y  K  V  E  T  U  D  W  Q  L  Z  Q
```

AXIAL	EPAULET	GREENEST
BRASHEST	EPOCHS	KILLDEERS
CORRALS	EXECUTES	LEAGUES
CORRECTIONAL	EXUDES	PHONY
COWHANDS	FILMIER	
CURTAINED	FIREBALL	
DUCKS	FUNNIEST	
ENTREATS	GLIBBEST	

Assorted Words 76

```
G  P  L  A  T  Y  P  U  S  P  A  P  A  C  Y
T  S  R  E  L  L  I  K  N  I  A  P  A  D  T
N  A  L  U  F  E  T  A  H  K  G  M  A  V  R
E  N  T  R  A  P  P  I  N  G  W  S  X  E  O
X  X  R  L  S  E  D  A  M  E  R  B  Y  L  U
P  P  H  Z  G  O  V  E  R  R  U  L  E  D  N
A  G  Y  U  R  E  V  I  T  C  E  N  N  O  C
N  Y  C  A  M  I  T  N  I  A  K  P  C  C  E
D  M  D  S  R  E  F  L  O  G  O  V  J  Y  T
E  C  D  E  U  C  S  I  M  A  E  M  C  A  S
D  I  L  C  C  O  M  P  I  L  A  T  I  O  N
S  T  N  E  V  N  I  E  R  F  L  A  D  I  T
T  G  I  O  M  H  O  N  I  M  O  L  A  P  W
W  D  K  B  O  G  N  I  T  U  O  L  C  G  X
U  C  O  N  F  O  R  M  E  D  Y  R  R  O  F
```

CLOUTING

COMPILATION

CONFORMED

CONNECTIVE

ENTRAPPING

EXHUMES

EXPANDED

GOLFERS

HATEFUL

INTIMACY

MISCUED

MOATED

OVERRULED

PAINKILLERS

PALOMINO

PAPACY

PLATYPUS

REINVENTS

REMADES

TIDAL

TROUNCE

Assorted Words 77

```
T  I  N  S  I  D  E  S  E  H  T  A  W  S  A
N  S  S  S  E  N  H  G  U  O  R  E  Q  N  C
T  R  E  O  E  O  R  E  I  P  S  I  W  E  O
T  N  T  I  R  H  G  E  R  T  C  A  S  X  N
C  E  E  L  C  B  S  N  T  J  E  N  Y  T  C
S  O  N  M  B  E  E  I  I  T  H  T  L  R  E
T  E  M  O  H  R  E  T  M  M  A  M  S  O  N
H  I  C  P  T  S  O  L  S  A  A  C  N  V  T
I  E  V  S  O  S  I  G  F  U  F  L  S  E  R
N  O  S  A  E  S  D  N  A  R  B  M  F  R  A
L  R  C  Y  L  R  T  A  A  N  E  T  Y  S  T
Y  L  V  L  V  V  O  E  E  B  S  F  C  I  I
K  L  J  M  E  V  E  U  D  H  H  P  H  O  N
T  D  E  T  A  N  I  L  L  O  P  S  C  N  G
R  E  K  L  A  W  Y  A  J  F  F  P  O  W  U
```

BANISHMENT	FLEECIEST	SEASON
BRANDS	FLUORESCES	SORBETS
BROGANS	HEADSTONE	SWATHES
COMPOSTED	INSIDES	THINLY
CONCENTRATING	JAYWALKER	VALVE
EXTROVERSION	POLLINATED	WISPIER
FAMISHES	ROUGHNESS	
FLAMINGOES	SCATTER	

Assorted Words 78

```
M  A  T  E  R  I  A  L  S  H  K  N  I  I  C
G  N  A  A  Z  O  R  H  E  C  K  L  E  S  S
S  R  E  G  N  I  R  C  F  U  Y  T  N  F  M
I  R  Y  F  R  K  S  R  C  U  R  F  F  P  S
R  E  E  U  Q  I  S  A  S  O  M  R  O  F  O
T  D  T  C  F  X  P  M  T  T  M  P  R  O  J
G  H  I  W  A  Q  E  P  T  N  O  N  C  K  G
F  N  S  S  T  L  K  S  E  T  A  B  E  Q  T
T  T  I  Y  R  V  P  O  I  D  E  F  A  K  A
P  E  I  Y  D  E  L  Z  Z  A  D  E  B  J  D
D  U  N  O  T  E  P  A  P  E  R  B  L  N  P
I  L  J  W  R  R  R  U  S  R  D  P  E  H  O
J  V  F  F  D  H  I  A  T  U  D  S  P  Q  L
E  W  N  T  C  T  B  D  F  E  A  O  K  A  E
N  Q  M  M  B  R  E  N  E  W  S  C  E  X  S
```

APPRAISE	FARED	QUEER
BEDAZZLED	GOOFY	RENEWS
CAUSAL	GRIPPED	RINGERS
CRAMPS	HECKLES	TADPOLES
DIRTYING	JABOTS	TANKS
DISREPUTE	MATERIAL	
ENFORCEABLE	NOTEPAPER	
FANTASIZE	PLACERS	

Assorted Words 79

```
N  T  O  V  E  R  B  U  R  D  E  N  S  B  R
J  E  F  N  K  S  B  Y  D  F  V  D  R  A  I
J  O  M  R  K  U  E  U  G  U  N  I  O  B  P
M  E  R  P  C  H  A  R  F  O  L  S  X  K  P
H  A  F  I  H  H  T  R  A  R  L  C  W  K  L
B  A  P  M  C  A  Z  G  M  N  A  O  E  M  I
J  S  I  P  A  K  S  B  N  P  S  U  I  T  N
P  S  H  R  L  R  E  I  I  I  I  N  D  T  G
R  M  E  E  B  A  C  D  Z  K  M  T  E  Q  E
E  O  T  S  W  R  U  H  W  E  E  M  E  R  Y
P  I  X  S  I  M  U  D  E  S  D  R  I  D  I
P  R  J  E  B  O  S  S  S  R  R  G  L  R  P
I  E  U  D  E  C  N  B  H  D  U  X  Z  E  V
E  S  I  E  M  O  N  E  Y  E  D  U  M  M  P
S  W  A  Y  E  D  N  A  M  E  S  M  L  W  K
```

APPLAUDS	ETIOLOGY	NOISES
ARMPIT	FRAUD	OVERBURDENS
BIKER	HAIRBRUSHES	PREPPIES
DISCOUNT	IMPRESSED	RICKED
DULCET	MARCHER	RIMMING
EMERY	MOIRES	RIPPLING
EMPHASIZE	MONEYED	SWAYED
ENSNARES	NAMES	

Assorted Words 80

```
T  E  S  A  E  R  C  L  G  Q  U  Y  H  D  I
G  I  Z  G  A  D  E  H  S  A  E  L  P  V  N
E  S  N  O  N  B  G  G  U  L  Q  U  Z  O  F
C  L  K  G  W  I  R  K  N  U  Q  A  Z  U  I
Z  E  Z  A  L  D  G  D  S  I  O  J  I  T  N
N  C  E  Z  E  E  I  N  F  E  N  D  E  R  I
D  I  S  B  U  R  S  E  O  Z  S  N  W  E  T
P  O  Q  A  K  P  B  M  R  L  M  I  U  A  E
R  S  T  S  I  L  N  E  I  E  E  Q  R  C  S
E  Z  D  U  M  K  C  R  R  N  S  B  A  H  I
T  H  S  T  O  S  U  G  D  I  A  I  R  I  M
T  K  B  E  N  B  V  E  J  G  F  R  S  N  A
I  H  W  F  O  C  E  D  Y  B  X  T  Q  G  L
E  A  V  R  S  E  S  U  L  L  A  H  P  J  L
R  U  N  H  A  N  D  S  C  I  T  S  A  L  E
```

BELONGINGS
BIRTHS
CREASE
CUNNINGER
DIERESIS
DISBURSE
ELASTICS
EMERGED

ENLISTS
FENDER
FIREBREAK
INFINITESIMAL
KIMONOS
LEASHED
OUTREACHING
PHALLUSES

PRETTIER
PUZZLE
RISES
TINGLES
UNHANDS

Assorted Words 81

```
S  K  C  O  N  V  O  Y  D  E  T  S  E  U  Q
I  P  X  V  G  P  D  Y  T  S  E  T  O  R  P
D  R  A  G  G  R  A  N  D  I  Z  E  S  F  A
L  E  C  R  F  E  A  J  G  P  N  J  D  U  B
I  F  O  U  O  T  X  B  S  G  N  I  W  S  Z
N  I  L  A  E  D  J  E  M  K  Q  Q  F  R  A
G  G  L  J  A  U  N  T  I  E  R  M  U  F  T
K  U  E  S  N  O  I  T  A  B  O  R  P  P  A
I  R  C  K  C  R  D  I  S  S  E  M  B  L  E
M  E  T  O  R  T  H  O  P  E  D  I  S  T  S
O  S  E  I  R  E  L  O  O  F  L  I  Y  V  S
N  V  D  C  N  V  Q  S  E  L  D  D  O  C  E
O  W  I  R  O  N  G  I  S  N  O  M  D  R  Q
Q  C  F  V  C  L  A  S  H  X  F  V  L  I  F
X  N  E  R  D  L  I  H  C  D  N  A  R  G  D
```

AFFINITY	DISSEMBLE	PREFIGURES
AGGRANDIZES	EMBARGO	PROTEST
APPROBATIONS	FOOLERIES	QUESTED
CLASH	GRANDCHILDREN	SIDLING
CODDLES	JAUNTIER	SWINGS
COLLECTED	KIMONO	
CONVOY	MONSIGNORI	
DIDDLES	ORTHOPEDISTS	

Assorted Words 82

```
N  D  D  U  K  N  O  B  B  I  E  S  T  W  P
N  O  E  D  O  L  E  K  C  I  N  K  B  T  E
P  K  C  K  A  Y  C  O  L  L  O  A  Q  E  N
R  L  O  C  N  V  L  H  I  S  O  B  E  L  N
O  E  I  Z  M  U  B  L  A  J  F  T  Y  E  I
T  D  T  T  L  X  B  E  I  R  N  P  U  G  N
R  C  E  E  E  B  L  N  D  V  G  A  R  R  G
U  G  U  V  M  R  C  U  R  R  I  E  R  A  E
S  W  T  D  L  O  A  Y  E  U  O  C  R  P  C
I  E  O  Y  O  O  N  L  H  S  B  L  X  H  K
O  I  I  L  L  R  V  A  S  S  I  D  L  Y  O
N  Q  K  K  L  L  P  E  V  P  A  R  N  S  S
S  I  Y  R  S  O  O  Y  E  L  V  L  P  I  B
T  Q  T  N  O  R  F  F  B  U  A  Z  F  P  W
J  K  T  I  G  N  I  T  E  D  W  G  X  C  A
```

ALBUM	EVOLVED	KNOBBIEST
APPRISE	FLASHY	LITERALS
BEDROLLS	FOLLOW	NICKELODEON
BUNKED	FOLLY	PENNING
BYPRODUCT	FRONT	PROTRUSIONS
CHARGER	GALVANOMETER	SKIES
CIVILLY	GECKOS	TELEGRAPHY
CLOTURE	IGNITED	WINDBURN

Assorted Words 83

```
M  M  W  Y  C  E  D  E  D  H  M  D  S  K  T
G  E  C  D  S  J  U  E  X  E  V  L  H  M  X
L  N  B  P  R  Z  Q  M  N  E  L  D  L  X  S
N  T  L  E  I  I  S  C  A  I  C  B  F  B  G
Q  I  E  T  E  H  B  E  N  R  O  R  B  O  R
H  O  A  E  Y  P  S  L  K  Z  G  J  A  O  I
E  N  N  U  K  T  E  R  E  O  C  I  N  T  H
A  S  I  A  L  G  O  R  I  T  H  M  P  O  E
D  D  N  L  M  S  Q  O  S  A  E  C  W  E  C
W  F  G  O  D  L  L  U  B  Y  E  Q  I  Z  E
A  Y  L  G  N  I  R  E  E  J  K  N  X  J  D
Y  Q  P  Y  H  I  E  T  A  U  T  N  E  V  E
T  F  Y  J  E  Z  I  L  A  T  R  O  M  M  I
I  I  N  T  E  R  P  O  L  A  T  E  S  M  F
N  B  I  F  G  N  I  L  O  B  M  A  G  E  P
```

AIRSHIP	DRIBLET	INTERPOLATES
ALGORITHM	EPIGRAM	JEERINGLY
BEEPERS	EVENTUATE	LEANING
BOOTY	EXECRATE	MENTIONS
BULLDOG	GAMBOLING	
CHEEK	HEADWAY	
CHOKES	HOBBLED	
CONJOINED	IMMORTALIZE	

Assorted Words 84

```
I  V  S  L  L  I  F  D  N  A  L  Y  F  Q  S
A  Y  K  I  U  R  M  E  G  R  E  E  T  U  M
S  D  N  N  A  C  E  E  T  A  U  T  C  A  A
K  E  U  G  X  C  Q  V  Z  B  X  E  C  R  S
Y  F  P  E  S  G  N  M  A  E  X  J  T  R  Q
L  P  O  N  P  S  N  I  Y  S  E  L  A  Y  U
I  Y  L  U  I  U  R  I  P  Q  E  T  C  I  E
G  S  I  O  N  U  M  A  R  U  G  F  K  N  R
H  O  T  U  D  D  E  C  R  E  O  C  I  G  A
T  C  I  S  L  J  I  K  O  S  W  W  N  L  D
L  I  C  N  Y  N  Y  N  A  N  Y  E  G  T  I
V  E  O  E  X  D  U  V  G  N  I  Q  K  Y  N
O  T  J  S  R  E  K  C  A  L  S  C  C  S  G
N  Y  A  S  P  E  L  L  E  T  E  D  A  Q  J
C  R  I  N  T  E  R  V  I  E  W  E  E  L  I
```

ACTUATE	LANDFILLS	SLACKERS
ARABESQUES	LIFESAVER	SNAKE
COERCED	MASQUERADING	SOCIETY
CONICAL	PELLETED	SPINDLY
FOUNDING	POLITICO	TACKING
GREET	QUARRYING	
INGENUOUSNESS	SKEWERING	
INTERVIEWEE	SKYLIGHT	

Assorted Words 85

```
E   D   Z   J   P   T   G   T   N   E   M   A   M   R   A
C   T   M   P   R   R   O   R   P   H   A   N   S   P   S
E   W   I   G   R   I   E   V   O   U   S   S   G   N   Y
P   N   Q   R   N   K   O   H   H   O   O   R   S   A   P
I   N   C   C   Y   A   S   W   P   B   V   V   E   M   H
L   G   A   L   A   P   M   X   R   A   K   E   D   E   O
O   R   A   L   Q   P   Y   E   J   A   R   V   D   S   N
G   S   R   E   E   D   A   L   L   A   B   G   K   A   E
U   J   R   S   N   O   B   B   I   E   R   E   O   K   D
I   X   Q   V   H   C   N   I   L   C   S   S   D   E   W
N   O   I   S   U   F   N   I   N   Y   P   S   F   S   G
G   F   R   I   G   H   T   S   N   O   N   N   A   C   I
G   L   H   P   P   S   N   A   I   C   I   T   E   I   D
Y   R   E   C   A   R   T   N   E   M   S   E   N   I   L
I   N   T   R   I   N   S   I   C   M   S   X   W   M   B
```

ARMAMENT	FRIGHTS	NAMESAKES
BALLADEERS	GEOGRAPHER	ORPHANS
CANNONS	GRIEVOUS	PYRITE
CAPABLY	GROOVED	SNOBBIER
CLINCH	INFUSION	SYPHONED
DEBAR	INTRINSIC	TRACERY
DIETICIANS	LINESMEN	
EPILOGUING	NAMELESS	

Assorted Words 86

```
Z  N  C  S  T  C  A  V  I  T  Y  L  C  O  I
K  L  C  O  N  G  R  A  T  U  L  A  T  E  D
M  I  I  Z  E  T  A  L  U  C  I  T  R  A  I
O  N  G  B  H  S  I  R  E  H  C  D  J  U  S
T  V  V  N  A  E  E  R  E  E  L  T  B  L  T
E  E  K  B  I  L  G  Z  P  I  N  A  M  P  A
L  S  K  V  E  T  E  N  I  S  S  G  N  Z  S
S  T  L  E  M  S  A  F  I  D  W  S  V  L  T
K  I  T  S  G  N  A  L  U  T  I  O  O  K  E
I  G  F  F  E  D  C  E  U  L  N  U  B  M  F
N  A  A  K  T  H  L  Z  P  T  L  E  Q  Q  U
N  T  M  I  R  I  S  L  I  K  I  E  C  I  L
Y  I  O  T  U  R  B  O  P  R  O  P  S  S  L
Z  N  U  T  P  L  V  R  G  Y  I  S  A  T  Y
Y  G  S  R  O  T  C  I  R  T  S  N  O  C  T
```

ANGST	CONSTRICTORS	MOTELS
ARTICULATE	DISTASTEFULLY	PEASE
BALEFULLEST	FAMOUS	SCENTING
BOWSPRIT	GOSHES	SKINNY
CAPITULATING	INVESTIGATING	TURBOPROPS
CAVITY	LIQUIDIZE	
CHERISH	MELTS	
CONGRATULATED	MOSSIER	

Assorted Words 87

```
F  S  E  I  R  A  M  R  I  F  N  I  C  Z  P
S  T  N  I  O  P  N  I  P  N  N  A  V  H  R
J  H  N  O  B  P  S  Y  B  A  R  I  T  I  C
R  H  O  A  G  S  N  N  R  E  T  T  A  L  S
E  A  B  X  Z  T  L  E  G  E  C  D  F  Q  I
L  Q  L  X  Q  I  A  I  T  H  H  B  N  E  Y
I  B  E  M  D  E  N  E  V  A  R  T  N  O  C
N  T  B  Y  U  A  R  G  H  E  T  U  A  P  U
Q  K  N  U  P  S  P  Z  O  W  D  U  N  E  I
U  C  H  A  S  E  R  T  O  C  I  R  P  A  F
I  F  B  N  L  H  R  E  N  A  B  R  U  M  C
S  I  L  H  A  S  Y  M  M  E  T  R  Y  R  A
H  P  O  C  K  E  T  F  U  L  S  C  A  Q  T
R  E  T  R  O  R  O  C  K  E  T  S  V  G  H
M  O  G  H  L  E  T  H  A  R  G  I  C  E  Y
```

AMPUTATE	DEVILS	RETROROCKET
APRICOT	ENNOBLE	SLATTERN
APTNESS	FEATHERY	SPUNK
ASYMMETRY	INFIRMARIES	SYBARITIC
BUSHY	LETHARGIC	URBANER
CHASER	PINPOINTS	WHEAT
COGNIZANT	POCKETFULS	
CONTRAVENED	RELINQUISH	

Assorted Words 88

```
M  I  S  E  H  S  O  T  N  I  K  C  A  M  B
X  H  N  D  E  Z  I  M  I  T  I  G  E  L  N
W  T  Q  T  R  O  T  A  C  I  R  B  U  L  P
S  G  S  R  E  T  A  W  K  A  E  R  B  L  E
X  S  N  E  H  R  W  Q  J  G  S  H  S  Q  R
D  I  E  I  H  S  F  B  L  J  B  E  P  H  S
J  R  F  T  L  T  N  E  T  W  Y  S  A  R  O
V  S  A  I  A  E  I  O  R  E  H  I  D  W  N
D  Y  R  T  C  I  E  L  R  O  L  T  I  D  A
R  E  H  E  S  U  T  R  A  T  N  A  N  F  L
Q  I  N  I  P  U  R  I  C  A  C  T  G  A  S
P  O  C  N  H  P  M  C  N  D  V  E  H  B  K
A  T  E  C  E  V  I  C  T  I  N  G  L  L  V
H  B  F  L  S  K  M  T  X  B  I  T  T  E  N
E  Q  Y  T  L  A  R  O  Y  A  M  P  P  S  P
```

BITTEN	INITIATES	MUSTARD
BREAKWATERS	INTERFERON	PERSONALS
CREELING	KENNED	SPADING
CRUCIFIX	LEGITIMIZED	TIPPERS
ELECTRON	LITHEST	
EVICTING	LUBRICATOR	
FABLES	MACKINTOSHES	
HESITATE	MAYORALTY	

Assorted Words 89

```
S  S  R  O  V  A  S  K  C  I  P  D  N  A  H
W  Q  S  C  M  T  N  E  D  U  R  P  M  I  G
O  Q  U  I  T  E  M  I  Z  E  D  D  L  M  M
O  P  L  A  G  A  A  L  B  U  M  I  N  M  A
F  J  X  T  W  H  D  D  Y  A  F  P  A  A  S
E  B  Q  M  R  K  D  B  F  H  G  J  N  R  T
R  A  A  F  F  E  I  U  F  U  J  G  R  Q  I
E  X  H  F  W  T  T  N  E  F  S  R  Y  U  C
L  N  A  B  F  V  I  N  G  R  C  V  R  E  A
E  U  P  U  F  L  V  J  U  N  I  O  R  S  T
G  J  P  S  C  R  E  W  S  L  I  O  A  S  I
A  Q  I  D  J  P  S  D  K  A  B  W  A  W  N
T  S  E  S  I  C  M  U  C  R  I  C  E  C  G
E  S  R  E  P  E  E  K  N  N  I  R  F  T  B
S  S  E  R  U  T  C  N  U  J  N  O  C  Z  S
```

ADDITIVES	HANDPICKS	RELEGATES
ALBUMIN	HAPPIER	SAVORS
BAFFLED	IMPRUDENT	SCREWS
BAGGY	INNKEEPERS	SQUAWKING
BLUNTER	ITEMIZED	STEWING
CIRCUMCISES	JUNIORS	WOOFER
CONJUNCTURES	MARQUESS	
FUZES	MASTICATING	

Assorted Words 90

```
E  G  N  I  N  N  O  L  L  I  R  A  C  Z  N
O  L  D  C  A  S  L  I  N  K  I  E  S  T  S
C  N  B  E  D  P  Y  V  V  P  H  N  P  J  J
E  J  C  A  K  R  P  W  A  F  T  E  D  U  Q
A  G  A  D  S  C  B  R  Q  K  Y  D  E  N  H
N  V  N  M  O  S  I  S  O  M  E  T  R  I  C
O  A  N  I  S  O  E  R  R  P  Q  R  F  O  Q
G  L  I  N  F  A  R  R  B  E  R  S  E  R  K
R  U  N  I  F  F  V  M  D  V  S  I  O  S  N
A  A  G  S  E  N  U  L  A  D  Z  O  A  Q  G
P  B  H  T  Y  I  R  B  U  T  A  E  O  T  L
H  L  S  E  S  S  O  R  C  V  S  B  L  L  E
I  E  T  R  E  I  T  L  U  A  F  U  Z  E  D
C  F  I  E  L  D  E  R  F  W  R  W  J  X  M
Y  N  D  D  S  E  G  A  M  M  I  R  C  S  V
```

ADDRESSABLE	CROSSES	OCEANOGRAPHIC
ADMINISTERED	DOORMATS	SCRIMMAGES
APPROPRIATE	FAULTIER	SLINKIEST
BERSERK	FIELDER	VALUABLE
BRICKED	FUZED	VULVAS
BUFFING	ISOMETRIC	WAFTED
CANNING	JUNIORS	
CARILLONNING	LOOSER	

Assorted Words 91

```
E  J  B  G  N  I  S  O  L  C  S  I  D  W  U
A  H  D  E  N  O  M  I  N  A  T  O  R  S  T
Q  K  T  G  E  I  D  E  H  C  N  E  R  T  O
I  K  W  A  P  T  Y  D  K  C  Y  E  I  W  P
M  J  I  F  B  W  H  F  A  A  U  D  M  V  I
D  U  M  F  U  N  D  M  I  T  X  A  O  Z  A
G  E  L  B  E  Q  U  E  A  T  H  S  B  X  N
R  N  P  U  T  T  I  S  P  A  U  Y  B  E  S
O  Q  I  E  C  Y  T  I  L  I  B  A  S  I  D
T  T  P  M  N  I  Q  W  U  L  W  P  E  M  H
T  A  D  Z  U  D  R  D  E  B  B  O  L  B  F
O  S  D  D  G  S  E  R  T  O  N  T  A  H  W
E  J  S  R  T  E  E  N  U  W  E  H  U  Q  I
S  G  N  I  D  A  E  R  T  C  I  U  W  Z  X
Y  T  I  R  A  L  U  G  E  R  R  I  X  O  B
```

BEAUTIFYING	DISABILITY	UTOPIANS
BEQUEATHS	DISCLOSING	WHATNOT
BLOBBED	GROTTOES	
CATTAIL	IRREGULARITY	
CURRICULUM	RESUMING	
DEBAUCH	SUNBATHE	
DENOMINATORS	TREADING	
DEPENDENT	TRENCHED	

Assorted Words 92

```
I  N  S  P  I  R  E  D  S  E  U  Q  R  O  T
T  E  F  R  K  G  S  T  N  A  T  S  N  I  O
P  D  I  S  C  O  N  T  I  N  U  I  N  G  Z
E  H  X  K  S  T  S  I  G  O  L  O  I  B  E
R  A  L  H  T  B  S  Y  Y  T  R  E  M  S  E
S  Q  A  C  C  Z  L  E  F  E  R  R  X  P  Y
I  F  J  U  S  U  D  A  T  F  G  K  L  R  F
M  O  O  R  K  A  O  L  C  U  I  O  V  E  E
M  A  H  F  C  C  M  C  M  K  T  J  B  V  A
O  X  V  E  V  I  I  Y  P  U  O  S  P  A  T
N  X  G  W  S  I  C  S  E  A  S  U  A  I  H
S  T  A  S  K  M  I  Z  M  L  R  T  T  L  E
E  N  O  I  T  A  L  U  M  E  L  O  E  S  R
B  D  R  U  D  G  E  R  Y  F  F  A  D  R  D
T  R  A  C  K  E  D  E  S  V  A  D  G  Y  O
```

ASTUTEST	DOMICILED	MUSTER
BIOLOGISTS	DRUDGERY	PARODY
BLACKOUTS	EMULATION	PERSIMMON
BOGEYING	FEATHER	PREVAILS
CLOAKROOM	GALLEY	TORQUES
COUCH	INSPIRED	TRACKED
CURFEWS	INSTANTS	
DISCONTINUING	JIFFY	

Assorted Words 93

```
E Y L T N A V E L E R R I S B
C Y F D A H C R X Z Z Y S R V
W C F J L Y E G E T H M T E M
D R D E K N A L C T I O I P U
R I B E H E S T S F U S P E T
I E S V Z B S G O O V C P A I
J I L T M I A E O L J I L L L
G I B L I O T L R U L H E E A
Y N N Z I L D I D I R A B D T
L R I G B F L L S L F M H Y I
R N K L L L M E R N Y S A S O
D U C T L E S S R A E Z I N N
S N I P P I E S T I E S Y M D
P G N I R E D R O B E Z E D X
S D F I R S T B O R N S S D O
```

AYATOLLAHS	DISTILLERIES	MISFIRES
BALDLY	DUCTLESS	MUTILATION
BEHESTS	EARLDOM	REPEALED
BORDERING	FILLER	SNIPPIEST
CLANKED	FIRSTBORNS	STIPPLE
CUTER	GOURMAND	
DESENSITIZE	IRRELEVANTLY	
DILLING	JINGLE	

Assorted Words 94

```
U  R  Y  D  C  R  Y  L  S  U  O  P  M  O  P
G  W  E  A  A  I  E  G  H  R  O  T  C  E  R
F  N  K  N  P  E  C  H  N  E  J  V  V  K  B
S  M  I  L  I  O  R  B  C  I  L  L  K  G  V
T  N  N  L  D  M  T  T  J  R  N  I  D  A  T
O  U  G  Z  R  E  A  H  E  Z  A  W  C  B  T
R  H  S  R  W  A  L  X  E  R  P  E  O  A  A
M  M  H  Y  E  G  E  K  E  C  K  U  S  R  L
I  I  I  B  K  E  O  P  C  Z  A  B  C  D  F
N  J  P  M  K  S  N  E  A  U  R  R  R  I  F
E  S  C  A  N  T  I  B  Y  J  S  I  I  N  X
S  S  E  Z  Y  L  A  R  A  P  O  M  B  E  T
S  E  L  B  I  S  S  O  P  C  E  M  E  S  S
L  K  J  T  V  D  I  S  L  I  K  E  O  C  R
N  N  M  M  S  Y  E  B  O  S  I  D  V  G  B
```

APOTHECARIES	GREENBACK	RETREAD
BRIMMED	HELICAL	RISKY
BROIL	KINGSHIP	SCANT
DISLIKE	PARALYZES	SCRIBE
DISOBEYS	PEARLING	SEARCHER
EXAMINER	POMPOUSLY	STORMINESS
FROWNING	POSSIBLES	SUCKLED
GABARDINES	RECTOR	

Assorted Words 95

```
L  D  E  Z  I  S  P  A  C  M  K  S  I  K  S
O  G  S  A  L  E  R  T  E  S  T  I  T  J  O
M  A  D  E  Y  O  V  N  O  C  N  N  E  C  L
S  C  A  I  N  A  M  O  N  O  M  D  M  A  E
C  C  S  G  N  I  T  S  E  U  Q  I  I  P  N
S  T  H  P  C  M  B  G  Z  O  P  V  Z  T  O
E  E  L  A  I  K  U  R  N  Y  E  I  I  U  I
P  E  G  G  F  T  N  U  A  I  K  D  N  R  D
I  M  Z  R  C  F  T  G  S  C  S  U  G  I  S
L  S  Y  W  B  A  I  L  L  E  M  A  C  N  Z
L  A  R  U  T  A  N  N  E  G  Z  L  E  G  M
A  B  Y  L  L  O  G  P  C  O  X  I  D  R  D
G  R  F  B  O  O  S  T  H  H  K  S  H  H  C
E  S  E  T  A  U  T  N  E  V  E  M  R  J  C
S  H  A  D  E  S  L  E  V  E  H  S  I  D  E
```

ALERTEST	CONVOYED	NATURAL
BOOST	CREASING	PILLAGES
BUNTINGS	DISHEVEL	QUESTING
CAMELLIA	EVENTUATES	SHADES
CAPSIZED	GOLLY	SOLENOIDS
CAPTURING	INDIVIDUALISM	SPITTLE
CARBINES	ITEMIZING	TEEMS
CHAFFINCHES	MONOMANIACS	

Assorted Words 96

```
S  C  O  N  V  E  X  E  D  Z  F  W  L  W  R
W  E  O  S  E  V  X  N  C  X  L  E  L  N  W
A  N  K  M  E  L  F  A  S  C  I  N  A  T  E
M  C  F  A  M  A  B  D  E  F  R  C  M  W  P
I  R  D  E  F  A  D  A  E  U  T  H  A  P  R
E  U  Y  E  N  U  N  N  T  M  S  E  S  B  O
S  S  G  L  T  B  T  D  U  P  M  S  O  N  S
Y  T  E  N  I  A  A  N  S  S  A  I  I  E  I
G  A  L  S  I  R  B  M  F  N  O  D  R  T  E
K  T  R  K  S  T  A  R  A  L  O  H  A  B  R
V  I  Q  S  T  A  I  R  E  Z  I  T  B  I  V
M  O  T  T  L  E  B  R  T  C  I  P  T  A  C
S  N  E  E  R  U  T  H  W  N  A  N  E  U  J
S  T  R  I  N  G  I  N  G  E  O  X  G  I  B
Y  L  L  A  N  O  I  T  A  R  R  C  E  F  Z
```

ADAPTABLE	ENCRUSTATION	REWRITING
ALOHA	EXACERBATED	STAIR
AMAZING	FAKES	STRINGING
BASSES	FASCINATE	SUNDAES
BRIMMED	FLIRT	SWAMIES
BUTTONS	LLAMAS	TISSUE
COMMANDS	MOTTLE	TUREENS
CONTRARILY	PROSIER	WENCHES
CONVEXED	RATIONALLY	

Assorted Words 97

```
A  I  R  T  U  N  B  H  E  C  S  Z  B  D  R
S  H  S  I  G  G  N  I  Y  D  D  E  U  O  V
M  R  Y  S  J  M  Y  V  S  S  I  K  R  W  H
O  S  E  L  R  E  F  G  C  E  B  S  R  N  X
M  C  E  G  E  E  I  A  O  A  C  L  I  P  A
I  O  F  Y  N  R  O  F  S  L  L  T  T  O  M
D  W  L  B  A  I  U  G  U  T  O  Y  O  U  N
S  L  T  C  K  W  F  M  H  E  E  R  X  R  E
T  E  S  C  I  M  A  R  E  C  L  N  T  A  S
R  D  R  T  Z  P  C  T  E  D  R  L  S  S  I
E  F  I  U  E  O  O  T  S  T  B  U  I  I  A
A  E  X  H  D  R  R  Y  I  A  T  O  H  N  Q
M  K  Q  U  X  I  A  G  M  D  C  U  R  C  G
L  Y  R  I  C  S  T  L  A  F  V  F  B  J  X
C  I  S  A  D  E  D  E  C  N  O  C  D  H  T
```

AMNESIA	CHURCHGOERS	FUELLING
ASTROLOGY	CLARETS	LYRICS
BISECTORS	CONCEDED	MIDSTREAM
BURRITO	DEMURELY	MYOPIC
BUTTERFINGERS	DOWNPOUR	NUTRIA
CALYX	EDDYING	ORGAN
CASTAWAY	ERUDITE	SCOWLED
CERAMICS	FASTENS	

Assorted Words 98

```
P  B  H  D  E  W  S  L  V  K  P  V  O  Q  J
A  L  S  J  E  N  T  E  O  E  L  X  R  M  Y
S  K  A  M  K  A  T  S  G  A  M  V  O  B  E
S  H  U  N  O  H  D  H  E  D  N  P  T  O  H
I  M  B  M  E  R  J  P  R  R  E  I  U  I  Z
O  L  T  F  E  R  A  B  A  O  E  W  N  J  J
N  Y  C  F  S  C  D  C  R  N  N  T  D  G  U
E  U  A  M  I  O  V  A  O  O  N  I  N  V  N
D  R  Z  L  D  L  E  C  F  U  W  I  N  I  K
R  S  E  Z  D  O  R  S  G  P  H  S  N  G  E
L  A  E  T  L  N  T  I  R  A  F  T  E  G  R
R  U  V  T  U  E  E  K  A  S  C  E  N  D  S
U  B  G  E  I  N  D  G  P  U  K  C  I  P  H
F  R  D  H  S  P  I  D  E  S  R  O  D  N  I
N  C  Y  O  G  I  S  M  D  J  K  I  D  N  A
```

ADRENAL	ENTHRONING	OROTUND
ADVERTED	GRAPED	PASSIONED
AIRLIFT	INDORSED	PICKUP
ASCENDS	INTEREST	RAVES
BROWSED	JUNKERS	SPITES
CAROMS	LOANING	WEDGES
COLON	MINUTER	YOGIS
DEADPANNING	NUZZLED	

Assorted Words 99

```
W  E  S  L  A  I  C  R  E  M  O  F  N  I  T
L  Y  L  B  I  T  S  U  A  H  X  E  N  I  R
U  U  I  M  R  E  F  I  R  U  Z  Z  P  N  A
G  G  R  A  P  P  L  E  S  K  C  I  H  D  D
K  G  N  I  S  U  O  C  T  R  U  M  P  E  E
N  R  U  O  J  O  S  U  O  T  Y  T  R  F  M
O  S  E  I  R  T  N  E  S  N  L  J  V  I  A
B  Z  T  Z  D  U  N  G  E  O  N  E  D  N  R
B  Y  K  C  A  W  G  N  I  G  D  O  D  I  K
I  E  L  B  A  T  A  L  A  P  B  Y  T  T  V
E  G  N  I  Y  P  S  N  I  A  L  P  X  E  H
S  Z  F  M  A  N  U  M  I  T  T  E  D  S  C
T  G  F  N  K  E  Z  I  R  O  M  E  M  X  H
H  K  E  L  B  A  R  E  V  O  C  E  R  R  I
J  P  E  Y  L  G  N  I  D  D  I  B  R  O  F
```

CONNOTE	HICKS	PALATABLE
COUSIN	INDEFINITES	RIFER
DODGING	INEXHAUSTIBLY	SENTRIES
DUNGEONED	INFOMERCIALS	SOJOURN
EXPLAINS	IRRECOVERABLE	SPYING
FETTLE	KNOBBIEST	TRADEMARK
FORBIDDINGLY	MANUMITTED	TRUMP
GRAPPLES	MEMORIZE	WACKY

Assorted Words 100

```
T  U  O  C  S  I  S  O  I  B  M  Y  S  U  R
C  Z  M  O  C  F  O  R  E  H  A  N  D  S  V
G  O  B  M  R  Y  L  I  T  S  R  I  H  T  D
E  H  D  P  I  G  G  S  A  R  D  O  N  I  C
Y  H  V  E  P  R  N  G  E  D  L  A  Z  O  T
A  F  G  N  P  R  V  I  N  T  V  B  P  I  R
S  H  M  D  L  E  G  H  V  I  Y  I  U  U  E
P  O  I  I  E  E  N  O  F  O  E  L  S  U  A
G  U  L  A  G  S  B  D  E  V  R  I  O  E  D
X  S  X  R  H  Q  T  E  E  L  F  T  D  C  S
S  E  M  E  N  O  H  P  R  N  Z  Y  H  K  A
N  B  T  R  I  S  E  C  T  S  C  Z  O  Q  X
B  O  T  H  R  I  V  I  N  G  E  Y  A  Q  J
X  A  J  W  H  G  N  I  R  R  E  F  E  R  Z
E  T  O  Y  E  P  G  N  I  N  R  E  T  Z  F
```

ABILITY	FOREHANDS	SARDONIC
ACOLYTE	FRAZZLE	SCOUT
ADVISES	GULAGS	SYMBIOSIS
CODEPENDENCY	HOUSEBOAT	TERNING
COMPENDIA	PEYOTE	THIRSTILY
CRIPPLE	PHONEMES	THRIVING
DIEING	REFERRING	TREAD
FLEET	ROVING	TRISECTS

Puzzle # 1
ASSORTED WORDS 1

	Y	M	O	C	R	E	T	N	I	C			M
D		C	P	R	E	Y	S				O	M	F	A
S	E	T	A	I	R	A	L	T		M		E	O	G
S	N	L	G	L			R	M	D	T	R	N		
G	N	O	L	N	L	C	R	E	P	E	E	H	M	E
R	N	O	I	E	I	A			N	V	O	U	T	
O	D	I	I	T	V	T	F		S	A	D	L	I	
U	J	R	D	S	A	R	O		U	L	O	A	Z	
S	A		I	E	S	R	A	N		R	U	L	T	I
I	M		B	E	I	E	M		A	A	O	I	N	
N	B			B	N	M	T		B	T	G	O	G	
G	S				L		M	I	L	I	Y	N		
	E	R	U	T	A	E	F	O	E	O				
R	E	N	N	A	M			S		C	N			
		H	A	B	I	T	U	A	L					

Puzzle # 2
ASSORTED WORDS 2

	D			G	N	I	Y	V	N	E		S
K		C	I		O	R	T	H	O	P	E	D	I	C
	C		L	P	R	O	V	I	D	E	R		S	R
P	C	A	T	A	L	Y	Z	I	N	G		M	A	U
I		L	B		S	O	H				E	M	T	
S	T		U	E	S	S	M	E	D		D	O	I	
C	R	R	G	M	M	R	R	A	A	E		I	V	N
A	U	E	Y	R	P	O	E	O	T	V	D	A	A	I
T	C	P	K	B	A	S	C	S	O	I	Y	N	R	Z
O	K	L		C	S	D			O	M	C	S	E	E
R	L	I		O	U	E		P			E	P		
I	E	E		M	B	R		M		T				
A		S		S	F	F	U	T	S	D	O	O	F	
L	Y	R	A	T	E	N	O	M			C			
	Y	R	E	G	R	U	S	O	R	C	I	M		

Puzzle # 3
ASSORTED WORDS 3

H		E	L	O	H	N	A	M			
A			D	I	A	G	N	O	S	E	S
N			D		H	S	E	S	U	R	E	V	O
D		S	G	O	S	C		S	P	A	R	E	D
S	F		P	N	W	D	I	S	T	A	F	F	
H	U	L	M		O	I	N	N	H		P		
A	R	O		S	A	T	E	S	E	C		R	
K	E	O	I		I	N	L	U	T	T		E	
I	C	D		R		T	O	L	L	A	N		F
N	E	L			U		U	D	I	B	I	I		I
G	S	I			F		A	Y	H		R	X	
	S	G			D	E	C	E	N	C	Y	S	I
	I	H		L	A	B	E	L	L	E	D		N
	O	T	R	E	N	I	L	D	R	A	H		G
	N	S			T	N	E	N	A	M	M	I	

Puzzle # 4
ASSORTED WORDS 4

S	E	V	I	T	I	G	U	F			S
R	E	T	R	O	G	R	A	D	I	N	G		P	S
D	E	D	N	A	M	E	R			E	H
N	D		S	C	I	T	R	A	H	T	A	C	O
F	E	E		E	E			H		T	P
P	O	D	R	G	N	I	H	C	A	T	E	D	A	L
M	L	U	D	O	S	C	R		H		C		C	I
S	E	U	N	U	S	E	U	A	R	S	T		L	F
O		R	C	T	S	N	T	M	U	E	I		E	T
M		A	C	K	A	C	O	A	B	Q	C	L	S	E
E		B		H	I	I	R	P	C	E	I	T	W	R
T		B		A	N	N	O	S	N	R	T	A	O
I		I		N	E	E	O	O	U	I	N	L
M		S	H	E	I	K	T	S	D	G	C	R	N	A
E	S	E	Q	U	O	I	A	S	S		E		T	G

Puzzle # 5
ASSORTED WORDS 5

R	E	P	U	B	L	I	C	M	A	Y	D	A	Y	S
S	L	W	O	R	G	K			V	A	G	I	N	A
I	N	T	E	N	D	E	D	S	K	C	I	R	T	
	C	O	G			E	R	S	T	R	I	D	E	
I	O	E	I	E		P		E	E					
N	N	M	G	T	O	S			B	G				
C	T	P	O	D	A	L	A	R	M	I	N	G	L	Y
U	R	A		U	E	C	O	R	E		N	A		R
L	A	P			N	L	S	G	E	D		D	R	I
P	V	P				T	S	I	I	T	L		S	P
A	E	E				A		F	C	O	O			P
T	N	D					I		N	A	O	B	E	
I	E	O	U	T	R	A	G	I	N	G	O	L	C	R
N	O	I	T	P	E	C	R	E	P	S		C		S
G			L	I	V	E	R	I	E	S				

Puzzle # 6
ASSORTED WORDS 6

	Y	R	A	T	I	L	I	M	A	R	A	P	P
	S	E	A	S	C	A	P	E	S			O	I
	S				L		N		C		M	N
	S		E			A		O		O		P	P
D	E	T	N	I	L	G		N	S		T	O	O
L	D	V	S	D	C			E	S	T		N	I
F	U	E	I	I	E	A		V	G	S	E		N
A	T	F	D	T	O	T	R		A	N	R	R	T
L		E	K	N	C	B	B	C	Y	C	I	A	U	S
S		E	N	A	A	O	U	U		C	E		C
E			F	A	M	R		O	A		I	E
N			E	H	E	E		D	E		N	T
E	J	A	B	B	E	R	T	D	P		E	R	E
S	S	S	E	N	I	R	O	G		Y		R	U
S	E	C	R	E	T			F			H		B

Puzzle # 7
ASSORTED WORDS 7

	I	E	D	I	U	G	S	I	M				H
N			N	X		O	P	T	I	C	I	A	N	A
P	E	S		T	T	M	A	S	O	N	I	C		Z
O		M	N	G	E	R	M	I	N	A	L		A
L		E	O		N	A	S	R	E	F	E	E	R
Y			S	O		S	P			P	G	D
H	G		C		E	G	H	I	O		L	L	I
E	I	N	R			S	A		F	L		E	U	N
D	Z		I			G	R		I	A	A	M	G
R	Z		N	F		G		D		E	T	M
A	A		K		E	W	E	A	R	Y		D	E
	R		L			I	D				R	S
	D		Y		C	R	A	N	N	Y
S	M	A	R	G	O	R	P	B
	S	H	A	R	P	S	E	L	O	H	Y	E	K

Puzzle # 8
ASSORTED WORDS 8

M	M		G	O		E			G
E	O	A	A	N	B	C	N		R	E
S	N	N	N	T	I	J	A	E		O	N		F
H	G	Y	T	T	T	R	E	U	R		C	D	L
I	E	W	I	A	H	E	A	C	S	V		K	E
N	R	H	Q	C	S	R	N	E	T	E	A		E	R
G	I	E	U		I	S	O	T	B	O		T	C	T
	N	R	I	Y		N	E	P	I	D	R		E
Y	G	E	N		T		C	L	O	O	L		D	D
D	A	S	G		S		T	B	L	N	I
R	E	W	O	L		A		U	I	O	S	H
	N	A		O		E		R	D	G		C
	W	R		T		Y		E	E	Y
	A	A		T				R
	P	F	R	O	G	M	E	N		C

Puzzle # 9 — ASSORTED WORDS 9

	S	H	O	R	T	C	O	M	I	N	G			
N	O	I	T	A	T	I	S	E	H					R
	S	C	A	M	P	I								E
		P	U	R	S	U	E	D		D				C
S	P	L	O	T	C	H	Y	P	A	C	E	E	N	K
	T			K					F				O	O
		N			O	E	S	R	A	P			N	N
			E	E	B	E	L	B	M	U	B	H	I	
S	E	L	A	P	M	I		D		L		U	N	
A	L	A	N	O	I	T	A	N		S	T		M	G
U				O				E		A				
C		R	A	P	I	S	T	L			R		N	
E			D	I	S	S	O	L	U	T	E	L	Y	
D	D	I	S	A	P	P	E	A	R	A	N	C	E	
		T	F	I	H	S	E	K	A	M				

Puzzle # 10 — ASSORTED WORDS 10

			C		L		O	S						
		C	R		S	A	S	V	R					
		A	O		L	M	O	E	E					
		C	M	M		L	P	T	R	Y				
		K	L	P	A	T	A	S	N	H	W			
R	S		L		I	F	N	N	Y	H	E	E	A	
A	K	N	E		F	I	T	A	R	A	M	A	S	
I	I	M	O	R	O	N	E	R	I	F	R	D	E	T
L	F	G	N	I	R	O	T	S	E	C	N	A	E	M
R	F			T				T	S	I	I	C	S	
O	E	C	A	C	O	P	H	O	N	Y		S		
A	D	H	E	L	I	P	O	R	T		L		T	
D		S	D	N	U	O	P	D				E		S
S	Y	R	E	L	L	E	C	N	A	H	C		S	
		M	A	I	N	T	A	I	N	I	N	G		

Puzzle # 11 — ASSORTED WORDS 11

E	G	N	I	T	U	B	I	R	T	N	O	C		
N		G	N	I	T	S	E	R	O	F	E	D	I	
C		E	T	A	I	R	U	F	N	I		M	E	N
A			Y	T	A	O	B	E	F	I	L	A	P	F
P			L			A				C	R	L		
S	A	T		B		M			S	A	O	O		
U	N	S	C		D	A	P		H	R	G	R		
L	G	O	C	E		E	L		I	O	R	E		
A		N	I	E	L		I	U		P	N	A	S	
T			I	T	N	A	F	F	C		B	I	M	C
I				G	R	D	I		I	L	O		I	E
O			A	E	E	D		T	A		N	N		
N				V	S	N		R	C	G	C			
W	H	I	T	T	L	E	A	E	T		D	E	N	E
	P	A	S	C	H	A	L	R	D	S	S		C	I

Puzzle # 12 — ASSORTED WORDS 12

			A	B	O	D	E	S						
I		S			P			M	T					
N	C	L	E	A	V	A	G	E	S	Y	A			D
D	P	O		C	R	T	R			H	L		I	
E	A		L		N	E	S	T	N	E	B	R	F	S
C	L	Y	G	O	G	A	M	E	D					A
I	M		T		N		N	M	K				B	
S	I			L		I		E	A	N			I	
I	S				U		Z		P	Y	A		L	
V	T	P			A		E				R		I	
E	R		E			F		D				C	T	
L	Y			C	G	N	I	R	R	U	C	C	O	I
Y	S	L	A	V	R	E	T	N	I				E	
U	V	U	L	A	E	O	U	T	L	I	V	E	D	S
N	O	I	T	A	C	I	F	I	L	L	U	N		

Puzzle # 13
ASSORTED WORDS 13

```
R . E F I N K K C A J R
O . . E A F O G G I N E S S
W L . Z B . I . . R . N
E . A . I O . T . . E . O
L . M T C E L U D E S A . O
S A R E M I H C A N . L D . P
U N . R . G I . C D . P . S
N . A I . . I V . O I . E
B . . T G N I D D E W L N . D
I . . S K C U R T D . . G
D . . . P Y T I M I L B U S
D . . S R A L U S N O C
E . . C I R C U L A T E D
N G N I S S E R P M O C E D
. . . K E E L I N G
```

Puzzle # 14
ASSORTED WORDS 14

```
. . . . . G N I P P O R D
E M B R Y O L O G I S T S
T E T N I U Q G N I S A E L
O T E R E H A U G H T I E S T
. . M I C R O S C O P E S . L
S . . . C O N V O Y I N G E
C E . Y A D H T R I B . . N
. L S G L L Y S . E S . . T
. A S A G L T E S K F . . I
. C A W N O S X L A O . L
. K V K I T E E E E O S
T U S S L E E I G . V T A R W
. H A L V E D R L N . A R Z B
S P R I N K L E C Y O . R O Y
. M O O D I N E S S . L . T C
```

Puzzle # 15
ASSORTED WORDS 15

```
. B . . . . F
. . I . R . R O T A T I M I
H . . S S E C A F R U S E R N
. A . D E C L A S P S . . V
. . R I . X H C A O C A . I
B Y L S U O U G I B M A K . G
R S L D H G . A . N . . E O
A H A . E N D L . O . . R
S A . I U D R I E I . R . A
S M . N . Q A . T H T . H . T
I E . F . E N . O C Y . C I
E L . U . . . C . N T . . N
R E . L . R E G A E M Y I . G
E S . L G N I P P I R D E H
S S . Y S P U T T E R E D K
```

Puzzle # 16
ASSORTED WORDS 16

```
. . . B D E K C O L N U
G N I T A N I C C A V
G N I T C E L F E D N . B
F R . . K S D E S U B A . E C
O E P . S B A C . . N M L I
M P A B L . R L . . G . L G
E U T . A . . O L . L . I A
N G T . P C S S W I . E . G R
T N E . P . K E . N X S . E I
A A D . E . P S E E A . R L
T N . R . . A O M R M E L
I T . T S E K I L C O A . N O
O F L U S H E D . . K G I T S
N . . C O L L I D E S . L
. . C Y T O L O G Y
```

Puzzle # 17
ASSORTED WORDS 17

```
. . . L S . . R E S E N T E D
D . E L B A E G R A H C E R .
O E . D . . P S R E C U D E S
C . G . E . . I S . . S . S .
T Y . D S S . L C E . Q . N I
A . F . E E L . O N R U . O R
G . . S . R P U M T I I . W R
O N . . I D D O P . X R E S A
N . I . G T E . L D . E P H D
A . . T . N A Z E . W S . E I
L . . C A N I S T E R E D D A
. . . . R . O E U . . L . T .
. L O U D L Y . L . F . L I .
O C C U T S . G Y A . . . O .
. G N I P M U L . H . . . N .
```

Puzzle # 18
ASSORTED WORDS 18

```
. . N O I T U A C E R P . . .
. . S C I H P Y L G O R E I H
F O R E W A R N E D . . . . .
. . . N O I T A M I T S E . .
. . H . C M I S S P E N D S .
C I S G S . A . . C Y G N E T
. R N E L A . M . . . . . . L
. E T D A M E P G . . . . . U
. T A O O D S I M I . . . . X
. O T L H I N R E R . . . . U
. K O E T A I E N P . . . . R
P L A T T E R R A T G T T S I
S K I T T I S H A C O G O . A
. S S E N I S A E N U R O C N
. . N O B L E . . T . . S N T
```

Puzzle # 19
ASSORTED WORDS 19

```
I N D E M N I F I E S . . . .
. S K L O F . . . P L I E S .
. I D E A L I S T S . . . . .
. . . C . M E R R I M E N T .
. . . G N I L L E B . . . . .
. D E G A M A D E C A L P . P
. E G B O O T L E G G I N G A
. . T U . S T R U C T U R E I
S . I Z . P T . B . . . . . N
. L . N Z . A S F M . . . . F
Y R E E L I L . N E E A . . U
L O O P S . F E . T G N . . L
. C H A M B E R M A I D . . L
. . . H . . D . . C D S Y .
. . C . . G N I B M U N .
```

Puzzle # 20
ASSORTED WORDS 20

```
. G S I . S . . N U T T I N G G
S O D E T . G S L A M M E R . .
O D S E U C O N F R O N T . . S
L F . T T R H P I S L Y E S T .
I A S . H N T Y I R . . P . A .
C T R E . G E S T E O . . O . P
I H H U Z . U P N S R O . R . L
T E O . G I B O E O E C M T . E
A R G . S U R O H R C M E . . .
T S S . P A O U T A S M . . . .
I . H . . U N T D R . . I U . .
O . E . . . O I O O E . . M R .
N P A R D O N S C . M I T . . .
S . D E T P M E T T A . R F . .
. S B R O O C H E S . . . . . A
```

Puzzle # 21
ASSORTED WORDS 21

			E	L	G	N	A	T	N	E	S	I	D		
G		E	L	H	C	O	N	I	P					T	
	N			B		D	A						R	O	
		I	T	S	A	V	A	E	R				U	V	
M	M	L	Y	C	L	E	R	K	K	L			T	E	
E	A	E	A	F	L		S		S	N	I		H	R	
L	R	A		T	I	E	Y	T		A	I	N	S	W	
L	A	R			N	S	C	R	R		M	L	G	R	
O	T	N		B	G	E	R	A	A	A		A	S	I	
W	H	I			U		N	E	L	T	P		D	T	
E	O	N			T		I	V	P	I	M		T		
D	N	G				T		T	I	W	N	I	E		
	E	I	M	I	T	A	T	E		N	D	O	A	N	
	R	S	N	A	C	U	O	T	R		O		H	S	
	S	U	O	R	E	H	C	E	L	Y		C		S	

Puzzle # 22
ASSORTED WORDS 22

		C	A	R	R	O	U	S	E	L	S			
	C		E	R	E	E	S	O	R	T	E	R	
C	O	S		L	E	L	I				A		
R	N	E	G		E	P	L	T			E		K
M	A	C		T	N	S	S	U	I	S		H	N
O	V	E	P	H	A	I	R	T	T	H	U	L	O
T	A	N	R	A	O	I	L	O	I	I	C	F	I	B
H	T	T	S	E	T	N	C	S	T	A	N	V	B
B	T	R	D	E	G	E	E	O	I	A	L	G	E	I
A	I	A	A	E	X	R	R	Y	S	U	U	R	E
L	N	T		L	V	E	E	N	D	S	Q	Q	I	S
L	G	E		L	L	N	S	A	E	A		E	T
	S				I	O	N	S	L	L	S	S
					P	S	A			L	O	I
	D	E	T	S	I	X	E	E	R	P	Y	V	D

Puzzle # 23
ASSORTED WORDS 23

			D	E	H	S	D	O	O	L	B	P	O
		M		B		C	E					L	V
			I		G	O		A	I			U	E
S			S		N	N	R	L	T			M	R
	O			T		I	N	E	L	I		E	P
E	F	I	R	T	S	R		K	I	T	E	T	D	O
O			L		B	O	U	N	C	E	R	H	N	W
B	O	S	M	O	T	I	C	S	F	I	R	O	S	E
T				P			T	E	L			D	R
U	D	E	Z	I	R	A	T	O	N	S	W	C	E
S				C	A	T	A	P	U	L	T	E	D	D
E	G	N	I	S	S	E	R	G	E	R			S
L	O	R	E	C	Y	L	G	L	O	W	E	R		T
Y	N	I	G	H	T	S	H	A	D	E
				G	L	I	S	S	A	N	D	I

Puzzle # 24
ASSORTED WORDS 24

D	E	B	O	L	G	S	P	R	E	L	U	D	E
		S	L		I	E
	C			L	I	R	A	T	T	L	I	N	G
	L			I	R		N	E
	I			A	T		T	H		M
	I	N	S	E	L	A	T	S	S		E	C		E
M	N	C	C	U	R	V	A	C	E	O	U	S	A	R
O	C	H	A	R	I	E	S	T	F	R	N		S	M
R	A			A				O		O		H	A
N	R			N			R			F	R	I
I	N				K		A			U	D
N	A	N	R	U	B	U	A	I	G			G	S
G	T			K	R	O	W	E	M	O	H	G
S	E	D	R	O	H	C	I	S	P	R	A	H	E
S	T	S	I	N	O	I	T	I	R	T	U	N	D

Puzzle # 25
ASSORTED WORDS 25

```
  S D D Y   G G   E
P M E E E L P N O H L
R A   T C D T O I D A B
E N   P A U N N R K H Z B
C U   E S R D E A T C C A O
O F S D S R O E C R R I T R C
N A   E E U O T D S O A R A D
D C   R R T O N C U E N I T W
I T   A T A A I A E R D G T
T U   S S   L T C M P A N I S
I R   T     G U A H X B O
O E   S       P L T E L C
N R M U C K I E S T M L D   Y
    S E I T R E P O R P A A I
D E T A T I C A P A C N I F W
```

Puzzle # 26
ASSORTED WORDS 26

```
D I T T O E S M I C R O B E S
S I S   R E S I L I E N C E
C T R E N S R E P P U S O
T I N E H O     N C H   U
    A S E C C I S E A S O N E D
    L N V T A S T U L     T
      O I E I E R S     P E O
      N R N O P E U     R   N
      E   S T O N W V R S I
D E L W A R D X N A   I T   A
O V U L A T E S E Y L   D N
        R     S   S       E
    N G I S N O C
P O S I E S E V A H E B S I M
        S N O I T U C E X E
```

Puzzle # 27
ASSORTED WORDS 27

```
          N I A T S B A
  E T A R E P S E D
D E R E D L U O B A R G E S
S H I R R E D           C
  E N R I C H E S R E N R O C
    C E N T E R G       N
    F       J A G U A R T
S R E N O I T I D N O C   R
  O F O U N T A I N E D   A J
  S N E H C T I K N A B O B U
    T   F R A U G H T E D A L
A B S C I S S A P P E A L N E
      D E P R O G R A M E D P
O I L F I E L D S U B W A Y S
      T I R E D N E S S
```

Puzzle # 28
ASSORTED WORDS 28

```
      B N C R T   S       P
  S S K I A I E S   R     R
    R S N L M T V E   E   O
D   S E E U L E A I R   W T
T I   S T N P E S M D E   O E
S N A   E P T R T   U Y T   S
L E E B A N O R E S G E K N T
I   L L O R E C U B F I N S I
M G   D O L R V   C Y I R P
M   U S O V I I I S   C O D
I   N E O E C V S E     C S
N     F C D L A E A G
G     I N   A L D R R
  W I N D Y R U   M L   B U
S E C A L N U E O     Y   A S
```

Puzzle # 29
ASSORTED WORDS 29

```
    E L B A I F I S L A F   G
D         D E R E N R A G R
I E L C U N   V A Z Z I P   U
    S B A S E L E S S     E
G     T E C N E G R E V I D L
E     E I C I L L A T E M T I
A     X   N     B O N I T O N
R     O     I   R F R N S K G
S W O R B E Y E U L A Q W E S
H B U C O L I C S I C U A N D
I   N I L P O P H P C E N I
F D E S A E L P W P O S N S
T     M       O A O T E M
  F O R M A T I O N N S S
E T A E M R E P D T S   T
```

Puzzle # 30
ASSORTED WORDS 30

```
      S R E D L E I F T U O
D O C K Y A R D
Y S S U O I C A M U T N O C
  L S E R M P T S E H T I L M
P S D E I E P R D       O
O D E E N B L L O E       D
S   U S I E A L E S G     E
T C   M P Z M B U T C R   R
E S I   B Y N O Y F E R E   N
D T W L   F L E S R E S I V I
  U H   O S O A R D C C T B Z
  D O     C   U C F N   A E
  I R   U U   N O   A   R D
  O L     L   B   D P   H G
  S       L   D E T C A X E
```

Puzzle # 31
ASSORTED WORDS 31

```
R T       P E T T I N E S S R
P E E S R E T T I S Y B A B E
R P R T   D L R E T T A T   C
E I   E A D E T       T   O
P D   D G E P I S     I   V
O F H   F N D Y P T L   T   E
N   O   O   U O E O N A U   R
D   R R   S A O B R E D   S
E   S E E   G L L O P I E
R   E A T H     N   F S N   M
A   W C A   E Q U I P P I N G
N   H T S     A     D   Z D
C   I O T     D     L E
E   P R E     H O I S T E D
M A S S E U S E         G
```

Puzzle # 32
ASSORTED WORDS 32

```
D P A S T R A M I D       S P
W E H P E N       I   C   L R
  L I B R E T T O S   A P O O
  P R E V E N T H   P H W S
K     R     P R   T O S P
I     D E C I M A T I N G E
N       F B   G P V E   C
E   H S I L L E B M E A Y H T
M M U C K I E S T   T W A O
A   M I L L I O N T H I   C R
T P U O C E R T     O   K
I     B E T T E R I N G L
C     D E M I A L C C A E
S E S I V E R N E G O R T S E
P O P L A R S G N I O B M I L
```

Puzzle # 33
ASSORTED WORDS 33

```
S R E G D E R D U P L E X E S
  K     S D I O N A M U H
    N       T S I T O N P Y H
I   F I D I S G R A C I N G
N R L   R O C I   M       I
D E U   I D O S N P       M
E C R   N   M B A I     R B
N E R   D   P U A N K   E A
T D I A U   L L   G I I   F L
A I E   C   E K     U T B F A
T N D   T K M I     B Y I N
I G     E E         N C
O   E L B I N R E C S I D G E
N       T   S N G I E F D
  S E I R T E M O E G
```

Puzzle # 34
ASSORTED WORDS 34

```
        L I F E L O N G
      D I S P L E A S I N G
  N     I N W A R D
R O R O   A P E D I G R E E
E N E   I   G Z I P P E D O
D C I   P L I E R S       C
U O N   A K O O Z A B     C
N N S     F     M         A
D D E   I N C I T E M E N T S
A U R L I Q U O R I N G D   I
N C T O   D A T U M S     O
T T I   L I B E R A T I N G N
C O N C I L I A T I O N     A
  R G       Y A D O T       L
    D E C R I M I N A L I Z E
```

Puzzle # 35
ASSORTED WORDS 35

```
  Y L G N I N E D D A M
    L   F O R E O R D A I N S
      H     G N I H C A O P
      S E T T E U Q I R B   T
S S M N U O     L L A N O R
  N E I O Q O   E     S G   I H
R E O S A I O M     L H U   C I
G E Z I P S T R S     I M   K C
S N D I T O M A A     N D   E C
T   I A L A O A N B G R E D U
O     T E A L     S O   O   S P
R     S L U U       T P     P
A       O P Q M       E     I
G       P   E E       D     N
E       R E I H S U M       G
```

Puzzle # 36
ASSORTED WORDS 36

```
      D E F L E C T I O N S
S S I E A R T H S H A K I N G
  D N L I     S H T G N E L I
    R O I N     T         N
      A I N E H O A X I N G S
    B   O T A X O   R     T
    A   B I P O N   B     A
Y       R S K D M R O     L
  L     C O A C E A A R   L
  E N D U I N G A P C B S A
    E     O E O L X   L   T
      V     T S T B E   Y I
        E     S S       O
C O M P U T E R I Z E D     N
    C H E R O O T S
```

Puzzle # 37
ASSORTED WORDS 37

	D	E	S	R	O	D	N	I					P
	E		F	G	W	F	S	N	R	U	T	P	U	A
I	S		S	O	N	H	O	U	T	S	E	L	L
S	T	S		E	R	I	I	R	O	A	D	S	
O	R	R	E	D	I	C	T	S	T				I
L	U	E	F	H	E	G	E	A	P	U			A
A	C	D	R	K	C	P	O	F	R	E	N		T
T	T	U	I	E	N	N	A	L	U	E	R	E		I
I	I	C	S		T	O	A	C	O	L	P	E	S	V
N	O	E	K			T	T	L	S	M	N	O	D	E
G	N	D	Y			A	T	A	D	Y	E	O	S
	S	H	A	D	O	W	Y	H	I	V	N	T	S	C
S	E	T	A	N	G	A	T	S	C	E	A	A	E	S
	E	Z	I	N	R	E	T	A	R	F	S		L
				T	S	O	M	R	E	H	T	E	N

Puzzle # 38
ASSORTED WORDS 38

	A	F			C	U	L	O	T	T	E	S
		I	G		T	H	L	U	F	I	C	R	E	M
S		F	T	O		E	S	B			O			R
	R	T		I	P		K	I		N		C	E
	S	E			L	H		S	K		T		A	A
		E	N	N		I	E	T	A	C	R	D	L	D
		N	I	G	U	D	M	R		B	A	E	L	A
H		S	V	I	G	E	O	S		B	R	A	B
A			A	A	H	S		A	E	B	I
L			N	P	S	U		N	S	L	L
F	O	U	N	T	A	I	N	M	A	S	D		E	I
W		S	G	N	I	F	F	O	A	L	N		T
A		G	N	I	L	L	I	H	C	F	E		Y
Y	K	A	R	A	T	S	R	E	M	R	A	H	C
	C	R	O	S	S	B	R	E	E	D	I	N	G

Puzzle # 39
ASSORTED WORDS 39

G		S		H	A	M	B	U	R	G	E	R
S	N	E	F	L			S	O		S		I
S	E	I	F	L	I	G	H	T	N		O		F	N
	E	L	D	F	O	A		G	A	C		E	D
		S	D	N	E	T	H		O		I		S	U
		U	A	E	R	I		S		E	V	T	S
			I	E	R	V	L		T		A	T
E				D	R	T	E	L		I		L	R
R				A	T	R	S	A	E		I
E	T	T	E	U	Q	O	R	C	A	C	S		A
C	T	R	I	P	L	E	T	H		E	E		L
T			P	E	R	I	O	D		H	N		L
S	T	S	E	U	Q		R	E	D	L	O	C	Y
		L	O	P	S	I	D	E	D	L	Y		E
		D	E	H	S	I	N	R	A	G

Puzzle # 40
ASSORTED WORDS 40

L	O	B	B	Y	P	R	O	T	R	U	D	E	D	
	N		S	S	T	R	O	S	E	R
R	U	S	I	T	K		S			I
E	T	W	T		N	N		C			L	M
S	R	E	U	D	D	A	I	R	Y	I	N	G	I	M
T	I	E	A		E	C	L		H		C	A
O	T	P	T		P	S	I	O		T	K	T
C	I	I	E		I	R	N	B		E	U
K	O	N	D	B	U	R	G	L	E	U	O		D	R
E	N	G	N	I	L	A	C	S	A	P	M	B
D	E	D	D	I	R	G			T	O	M		T
S	E	L	A	N	I	F			O	O	O	Y
	H	A	B	I	T	U	A	T	I	O	N	R	L	C
Y	L	E	T	A	R	E	D	I	S	N	O	C	Y	B
		H	I	N	G	I	N	G

Puzzle # 41
ASSORTED WORDS 41

T		S	E	C	N	E	D	I	C	N	I			
	H	O	L	L	I	E	S	E	T	I	S	B	E	W
M		G	N	I	L	I	C	N	O	C	E	R		
I		H	I	V	E	S	T	E	E	T	O	T	A	L
S		C	R			D	E	N	N	I	H	T		
A		O		H		S		E				E		
D	Y	T			T	R	E		M			X		
V		T	F	E			R	E	H		M		P	
E		O	I	O	L	C	R	O	G	S		A	U	
N		N	R	L	O	B	O	A	F	A	I		R	
T		T		C	I	T	A	N	I		L	M	G	C
U		A		A	B	B	R	I	N	K	S	A		
R		I		M	E	A	O	C	Y			T	F	
E	E	L	I	S	S	I	M	D	L	D	A		E	
S	P	H	A	R	Y	N	G	E	A	L	A	L	D	

Puzzle # 42
ASSORTED WORDS 42

			L						G					
	G		S	A			L	U	N	C	H	E	O	N
C		N		U	I	G	N	I	S	R	U	O	C	
	O	S	I		O	R	P	Y	K	A	E	N	S	T
	K	N	U	R	D	M	A	E						T
N	S		V	O	E	E	E	S	R	O	V	A	F	
S	A	E	C	E	I	B	T	H	R	S				
E	E	S	T	H	X	R	M	S	P	E	O			
R	C	A	A	I	I	T	U	E	S	V	N			
	O	I	L	G	F	T	S	C	F	A	D	A		
	P	V	I	O	F	Y	U	N	I	L	A	L		
	S	O	Z	R	O		L	E	N	B				
S	W	A	R	T	S	N	E	R	N		L		A	
P	E	R	J	U	R	E	D	A				I		M
K	I	N	D	E	R	G	A	R	T	E	N			

Puzzle # 43
ASSORTED WORDS 43

	Y				D	E	R	O	T	C	O	R	P	
	Y	L	B	I	S	N	O	P	S	E	R		M	
		E	L	O	P	E	G	D	I	R			E	
D		L	A		T	I	L	R	A	T	S		T	
Y	E	E			C			W	O	L	L	A	T	A
	L	V	S	N	O	I	T	U	N	I	M	I	D	M
	F	E	I	C	S	S	G	N	I	K	A	M		O
S	L	L	R	L	I	T		O	E					R
L	A	L		U	S	L	N			L	D			P
I	S	E				T		A	A	P	O	I		H
T	H	R				A		H	L	E	E	V		O
T	B					M		P	P	D	D	E		S
I	A		C	A	V	E	A	T	T	E	D	A	I	E
N	C		D	R	A	O	B	A	E	S		C	L	S
G	K		O	R	G	A	N	I	C	A	L	L	Y	S

Puzzle # 44
ASSORTED WORDS 44

	T	S	E	F	I	R	A	N	O	T	H	E	R	
	M		R		S	Y	E	K	O	P			I	L
C	A	D	R	E	S	L	D	E	O	E	D	I	V	U
	R		S	D	S		A						A	M
	A			E	E	I		C					L	I
S	T	C	E	N	T	R	A	L	I	Z	E	S	R	N
O	H			N		A	I	R		N			Y	E
A	O				I		T	P	P		O			S
K	N				F		U	M	P			C		C
I	T	Y	P	H	O	O	N	S	M	U	A			E
N		H	Y	P	O	C	H	O	N	D	R	I	A	N
G	N	I	L	F	I	R	E	A	C	H	E	S		T
S					S	C	R	E	W	B	A	L	L	S
				S	N	O	I	T	A	I	T	I	N	I
	L	A	T	I	B	R	A	B	O	N	E	H	P	

Puzzle # 45
ASSORTED WORDS 45

```
C O N S E Q U E N C E . . S .
D E S O P S I D N I . . P R .
I . D . R I L S O . . . H A .
N S . E E . E M I N X . E V .
S . O X R T . I O A O I . R I
T B R A Z E N S M R T I O E N
A . A M R . T A . M P H S U G
B R P P . E . P L . U M G E S
I E I L . . D . U S . R O I L
L P D E G N I M O R H C C C H
I O E D . S C O R E B O A R D
T S S . A I X Y H P S A . . .
Y I T . G N I Z I M O N O C E
. N G N I Y F I T R O F . . .
. G . Y R E T T U L F . . . .
```

Puzzle # 46
ASSORTED WORDS 46

```
S . O V E R H A N G I N G . G .
P Y L T N A R E B U X E . . . .
H . S E S A E S I D . . S . P .
I C . N G E Y D . . . . T . O .
N A W . I N M D E . . . I . R .
X T S I . A I E O T . G P . T .
E A . L N R L Z R O U I P M I .
S P . E G E R I T W M L E O .
. U . . E S Z E S X L I D N .
. L S E P I P G A B A E N U E .
. T . S R E V O L M T G L D .
. . R A I N B O W S B A N L .
A I L I H P O R C E N . H A .
. E T A L U M R O F E R C F .
. . S E H C N U P Y E K . . .
```

Puzzle # 47
ASSORTED WORDS 47

```
S . . . P E T R I F I E S .
O S . E R A W N E H C T I K
D . E . H T N E E T H G I E
D B I R T H I N G . . . . .
E . O C U N D I S P E N S E R
N . O D T E . . . . E X . .
S K . D K E A M . . . A H S
. T I I Y M M E D . . S O O
. . E N . L A A R R . I R L
T . . G K D N R R C A . D T I
. E . . R I E E K C . B E . C
. . L . . A E B P I A . M . I
. . . B . . T R M O N T . O T
D I S C O M M O D I N G E . B
. . . . G N O I T A L I D .
```

Puzzle # 48
ASSORTED WORDS 48

```
. . . . . M E N S W E A R .
M O T I V A T E D . T L . .
. R . B . G N I H C N U M .
L R E L E A S E S . . C O .
A . . A A . G . . . I . R .
U I . C P I G N I P O D . G
N . N K . P T . I . A . . .
D . J . S L N . R . T . . .
R . A E . P I E P R E W A R
E E . C R C S R E D N A L S I
S . M K . E T E U S I . H .
S . M . . G O P C . V . C .
E . . U . N R O E . O . . .
S E X H A L A T I O N S . R .
. . . G . . L . . T . P .
```

Puzzle # 49
ASSORTED WORDS 49

	S			S	G	R	D	E	R	E	G	N	O	M
R	A	B	C	G	H	N	O		S	O				
E	N		E	L	N	P	I	T	N	Y	P			
D	I		N	L	A	I	A	R	I	E	A	E		
U	T	P	T		C	M	N	R	A	R	D	L	S	
N	I	U	R	G	A	H	B	E	G	E	E	R	S	
D	Z	R	I	E	N	S	E	A	T	O	B	H	U	
A	E	P	F		I	I	S	D	K	H	E	R	N	B
N	D	O	U			K	H	E	N	E	G	M	O	I
C	S	S	G			A	C	S	U	S	I	I	F	
I		E	E				E	N	S	O		R	M	
E		L	L	G	L	I	D	E	R	I	E	D		B
S		Y		S	L	U	F	P	U	C	L	S	E	
			D	I	U	G	N	A	L		F		R	
	D	E	U	R	T	S	N	O	C	S	I	M		

Puzzle # 50
ASSORTED WORDS 50

	S	E	I	R	O	T	S	E	R	E	L	C		
		G	N	I	D	I	R	E	D		U			
	D	E	F	O	R	M	I	T	Y		E	F		
R	E	P	L	E	H	S	U		P	X	F			
	I	S	Y	S	O	B	R	N		A	O	E		
H	M		E	T	E	U		E	P	E	T	D		R
I	P	G	S	V	I	L	S		G	A	I		E	
S	A	U	W	R	L	L	P	T		N	C		E	U
T	L	E	I	L	O	E	A	M	S	S	A	K	V	N
O	A	R	M	I		T	H	R	I		L	D	E	I
R	S	I	S	G		P	S	S	E	D	L		N	T
I		L		H		R		U	K	N	Y		T	E
C		L		T		O		J	O	E		U		
A	G	A	M	E	C	O	C	K	S	D	O	G	A	
L		S		D		F			A	B	L			

Puzzle # 51
ASSORTED WORDS 51

				S	N	O	W	S	H	E	D
G	N	I	T	A	G	I	V	A	N		
		R	E	T	R	A	I	N	I	N	G
P	L	A	T	F	O	R	M	I	N	G	
M		C	O	L	L	E	C	T	I	V	I	Z	E	D
A		R	E	D	R	A	O	B	Y	E	K
X		P	R	E	M	I	E	R	E	D	
I	S	L	E	S	A	E			L		
M		G			O	T	S	U	D	W	A	S
A	C	I	L	O	C	H	I	R	O	P	O	D	Y
G	N	I	T	C	U	D	N	O	C		E
		G	G			R					
E	V	A	T	S	R	E	K	N	U	H		E
	M	I	S	T	E	D	D				
M	A	R	G	O	I	D	A	R			

Puzzle # 52
ASSORTED WORDS 52

G		Y	K	C	A	T	B		E	
	R	B		T			U		V	
	A	D		I	C		F			O
P	C	P	E		U	L	F			K
M	U	K		H	N	G	N	I	R	U	T	A	M	E
A	L	P		E	U		N	C		
N	P	A	F		D	T	G	A	K	
D	I	C	O	T	O	U	C	H	S	T	O	N	E	S
O	E	K	G		H	A	R	A	S	S	M	E	N	T
L	S	E	G	S	E	L	B	M	U	H
I	T	D	E	L	E	C	T	O	R	A	T	E
N		D		C	O	N	V	E	Y	O	R	S
	Y	T	I	L	A	C	O	L	D	
	E	L	B	A	T	C	E	R	R	O	C
	E	N	O	H	P	A	G	E	M	

	G	N	I	S	I	D	N	A	H	C	R	E	M	G	
					S	E	M	U	F					L	
S					B							A		I	
	R					A	V	E	R	R	I	N	G	T	
D	S	E				T	P					K	Q	T	
O	E	T	V			A	E	R				L	U	E	
R	V	L	I	I		B	N	H	A			E	I	R	
	O	E	I	R	L	L	E	Y	T	L		S	B	I	
		T	R	C	E	E	S		L	I	I		B	N	
		O	A	W	I	H	D		E	P	N	L	G		
		A			R	O	M	N			R	E	E	S	
		D			Y	R	O	I	S	S	U	E	S	S	
		Y				K	D	S				M			
		S	R	E	N	O	I	S	S	I	M	M	O	C	
D	E	T	A	T	I	L	I	C	A	F	D				

E	Z	I	L	A	U	D	I	V	I	D	N	I	P		P
		C					L						H		
			O		S	E	C	E	D	E			O	R	
F	R	A	T	S	N	E				E			N	E	
			T	S	E	L	T	T	I	R	B	C		I	M
				M		Y	I	A	N			H	N	I	
S	K	C	A	P	N	U	T	N	L	F			E	N	
	S	P	O	L	S			C	U	A	U		S	D	
			O					A	A	C	S	S	E		
		Y	M	A	R	A	U	D	S	S		E	R		
G	O	A	L	I	N	G						E	S		
		Y	L	G	N	I	T	A	T	I	S	E	H		
			G	I	M	M	U	T	A	B	L	Y			
			B	R	E	E	Z	E							
		T	S	E	H	T	R	U	F						

		S	E	E	N	K	N	E	H	A	E	P		P	
	D		T	X	D	E	N	E	D	D	A	M	L	E	
		E	Y		W	C			L				A	R	
		K	L		E	U			A				N	V	
R	T		O	S		E	S			T	S		D	A	
	A	R	E	R	S		T	I			E		S	D	
	M	B	E	X	T	E		E	N			I	R	C	E
D	O		A	S	H	S	L		D	G	Z		A	D	
	E			N	S	I		M	A	W	E	D	P	L	
C	B	L			N	G	L	O	R	I	F	I	E	S	
	A		D			I		A		A			R		
E	T		N			C		R		H			S		
		T		A			S	N	A	H	K				
			L		D	E	R	E	H	T	A	E	W		
				E	M	O	T	I	O	N	E				

A			D		Y	R	O	T	L	U	S	E	D		
R	M	D			E	N	O	G	R	O	F		I	N	
A	P	B	E			T	C						N	G	
C	L	K	A	Z		L	A	R					S	I	
I	A	I	I	S	I	J	A	L	I				U	N	P
S	Y	S	N			S	L	A	R	O	C		L	E	U
T	G	S	S	D	G	A	A	S	O	M	K	T	E	R	
S	R	E	P	U	R	G	D	N	M	T	M	S	R	V	
O	D	E			A	A	N	O	O	I	I	I			E
U		C			S	G	G	I	R	I	N	L			Y
N		T			S			I	O	L	I	T	E	C	E
D					I			N	N	G	A	C			D
S					E				G	F	N	L	I		
					S						L	A			F
		Y	L	T	N	A	I	D	A	R	Y				

Puzzle # 57
ASSORTED WORDS 57

```
  G E   D B   S R        
A R   S   E A   E E      
R O   J N   Z C   S N     S
M S     O E   I H   P A   L
A S R Y D N F   R E T A E   I
D E S O D E Q F   O L   L L V
A R   E T N H U O   M O   E E
S L   B R A I S I N G A R   R
U E A   I U T W A L     L   E
N   H B   R T N   C S     G D
B     C E S T P E C N O C  
U       I L   H I M U S S E S
R       R L   D R M      
N         N E   A C O    
C O D T S O P E D   Y S C  
```

Puzzle # 58
ASSORTED WORDS 58

```
D E P R O G R A M M I N G  
  M A R K U P S A N D E D  
P     V C   D E T N I O J  
U G   I   H   C H     P M  
R   N T   O   O   S   A I  
E   I   P M   U   T N      
B   A T C O M P O T E G R I
R   T   C   L I     I B    
E T A E M R E P A B N   S M U
D S M S A P S T C U   G L O S
Y A W E V I R D E D   A N E  
  M A T Z O H S N D   L I S  
T N A N I M R E T E D   O E  
G N I R E T T E L D   M S    
E T A L U V O   Y   S        
```

Puzzle # 59
ASSORTED WORDS 59

```
E A T A B L E S S S C    
N W O R D S T   T N H    
S   I E A   E A T        
U   G S X   N L A        
B H U F F I E R I I T O P P
M R   Q U E U E M I   R  
E   E D U T E O U S E N   O
R   L   Y   S D G   C    
G N I H G I E W T U O    
E N   G B D U D G E O N  
D   I H I J A C K I N G S
    X   L H              
    E   L D E T R O P E R
G N I D A V N I          
    Y L T H G I N T R O F
```

Puzzle # 60
ASSORTED WORDS 60

```
D R A S T I C A L L Y      
C   D E T A N O S R E P M I
T I D E R E T R O P F   L T N
  N N G I M M I C K R Y A A S
  E N Y C N E D N E T N C T
  C A   E E   D T R        
Y   G S B   B   S I U      
B H   R E A   A M C C M    
U A T F A R R O W S P A S E
W T L A   T C   I A P J N  
A   T L P   U   N S E   T  
I   E E A   I   G T R      
V   R   G   T   A          
T E L L T A L E   Y S      
R   S G O L D B R I C K S  
```

Puzzle # 61
ASSORTED WORDS 61

			R	E	T	I	R	E	M	E	N	T	S	
	I	N	S	U	F	F	I	C	I	E	N	T		I
		T			S	E	D	U	C	E	R			D
O		R		S	D	R	A	C	E	R	O	C	S	E
O		O	D	I	V	E	R	G	E	N	C	E	S	W
D	H	Y	P	E	R	T	E	N	S	I	O	N		A
L		S			N	A	P	A	L	M	E	D		L
E	T	A	C	K	L	I	N	G	C	O	M	E	S	K
S		M	H	T	Y	H	R	O	I	B	I			S
	R			E	L	B	A	I	L	T				
	L	A	R	G	E	S	S	F	L	A	M	I	N	G
	S	E	O	T	I	N	O	B	N	E	V	A	H	
			P		Y	H	C	R	A	N	O	M		
				P	J	A	C	K	E	T	S			
	L	I	A	S	S	A					S			

Puzzle # 62
ASSORTED WORDS 62

H		S	S			N	E	R	V	O	U	S	
A		N	S				R	E	L	A	P	T	
N	C			O	E				H				O
D	O				I	N	C	O	V	E	T		N
S	L		N			D	H			S		I	N
O		E		J		S	R	C	E	T			E
M			I		U		D	O	R	L	A	S	N
E				Y		R		I	C	A	Y	P	
		G	N	I	P	P	O	F	A	C		G	L
		G	N	I	H	S	A	R	O	M	A	S	R	E
			L	O	B	B	I	E	S				A
				P	A	C	I	F	I	E	R	S	
L	A	M	R	E	D	I	P	E					
		M	U	T	A	T	I	O	N	S			
	G	N	I	N	W	O	G	N	I	W	A	L	F

Puzzle # 63
ASSORTED WORDS 63

			D		C			S	H	U	C	K	
		C		I		A	E			K			
		P	I		F		U	L		N			
	C		U	A	R	F		S	I		U		
D			A		Z	H	E	U		A	T		P
	E			R		Z	C	S	S		L	S	E
D	O	L	M	E	N	D	L	R	C	E		L	O	X
	R	L			S	A	E	E	A	I	N	Y	H
		E	E			T	T	T	M		N	E	A
	S		B	D	V		F	I	C	E		D	S	U
		T		E	E	O		I	O	I	N		S
			E		A	G	R		R	N	L	T	T
				R		U	G	G	D	D	S	F	E
				E		X	A	E				N	D
					B			R					I

Puzzle # 64
ASSORTED WORDS 64

	P						Y						
M	L		F				T	H					
A	E			O			R	A					
S	N	N			R			E	N				
S	A		O	E	L	G	G	A	G	F	B	Y	
E	D	R	B	G	I	S		E			A	I	M
U	I	I		E	N	T	E		T		I		L
R	R	E		S	I	A	S		F	L			
S	E	S			T	T	M	U		U			
	C	H	I	L	D	R	E	N	I	T	R	L	
	T	S	L	A	C	K	E	D	E	T	E		
	E			O	P	P	R	E	S	S	O	R	S
	D		E	L	B	A	R	E	M	U	N	E	F
P	E	R	P	E	T	R	A	T	I	N	G	O	
S	L	A	V	E	S	E	I	R	T	S	A	P	C

Puzzle # 65
ASSORTED WORDS 65

```
C O N V A L E S C I N G B
B S F I E N D I S H     A
B R E A D W I N N E R S C B
  A S Y             O Y
  S S I L G N I H S I N I F
  S   S R T R E T E I D S P
A A     E O N       E H E
N I     D T A       M   R
C L         I T     N   S
B E M U S I N G   L S A   E
S R I A P M I   C N T   V
T E X A C E R B A T E O   E
R     K A Y A K I N G R C R
H A S S L E D         Y   E
L G N I T A C O V I U Q E D
```

Puzzle # 66
ASSORTED WORDS 66

```
O P   L I A I S O N S     P
V O   F   C         J   S
E W D S U   H O       I   Y R
R E A   R G U   M     T   C A
A R N   I E N   C E   N   H G
C F K M O   K I S H L E   O G
T U E   U   S C R W I Y   S E
S L S   S R   P A A O D   I D
  L T G     K   O H E R I S L
  Y     N     Y   O W L R N Y
  I N F R I N G E S C H C A G
  Y R A L L I X A M     S   M
A M T A H A M L A H T E L U
  E D I T O R I A L I Z E D B
  L A T N E D I C N I
```

Puzzle # 67
ASSORTED WORDS 67

```
  S S F A N N I N G     C U G
    E S   H       F     O N U
    C H E S U       A   M I I
Y   E   C N K B       L P C D
  R R   A R S C C     S L Y E
    E   P D U S O A     E C D
  P M V R   I H E L P   X L
M O O   I     S C L T S I E Y
P S N   C L     M   R N T S
A I I C I   E       I   E I
W T O L O     D     S   E L
N   U   U C           S S H F
E   S   S T K S R E K C A H C
D   L   L   O L         L
    Y   Y       B E         S
```

Puzzle # 68
ASSORTED WORDS 68

```
S T R A C T O R H Y K L I M
T       D E K R A P S   A
A L P H A B E T I Z I N G R
L R       C A P A B L Y R   I
K E D       S R I S I N G Y N E
E C   E   E G N I T I P S A X
R I F O R M I N G     O   D C
S T N E M E V A E R E B   E E
  E   C I N D E R E D   A S L
N O P M A T   L   S     J L
          S     U   D       E
D R I N K E R S   O   O     N
S T I F F E N E D   B   O   T
E M B R O I D E R I N G   L
        D E L L I K S F
```

Puzzle # 69
ASSORTED WORDS 69

		M	O	O	N	L	I	G	H	T	E	D		
G		E	X	O	R	C	I	Z	E	D				
Y	N	D				E	S	O	N	A	R	P	O	S
	L	I	I			Y	W	S	W	O	P	P	E	D
	S	T	U	S		G	R	O	U	N	D	H	O	G
S		T	N	D	J			E	L	A	R	B	E	Z
T	P	S	S	E	N	O	D		T	F				
H		E	H	A	I	E	I	I	L	T	N			
A			E	O	C	N	F	N	A	O	I	R		
N			L	P	E	E	A	T	R	R	L	O		
K				S	P	L	V	I	E	I	D	G	C	
I	S	T	L	I	T	R	E	B	N	T	D	S	L	
N		P	U	S	H	I	E	R	A	O	H		T	Y
G	R	A	Z	E	S			V	S	C	C	E		S
M	E	T	A	M	O	R	P	H	O	S	E	S	D	

Puzzle # 70
ASSORTED WORDS 70

A	P	P	R	O	B	A	T	I	O	N	S	M	R	
P	N	C	O	M	P	U	T	E	R	S		O	E	
O		I		Y		S		T		D		L	C	M
P		M		R		T		U	Y		D	R	U	
L			A		A		C		N			I	I	S
E	M			T		H		E	A	E	E	M	K	
X	E	X	I	S	T	E	N	C	E	S	S	S	I	R
I	A	L			G		D			T	I	T	N	A
E	N	O			S	N	E			I	G	B	A	T
S	S	A	N			E	I			C	H	U	T	S
	D		O			C	S				T	L	I	
	A			E		E	I	W			E	L	N	
	B				L	R			L	O	D	I	G	
	Y	L	E	L	I	T	S	O	H	S	D	E		
	E		G	N	I	R	U	T	N	E	D	N	I	

Puzzle # 71
ASSORTED WORDS 71

S	G	H	P	A	R	G	O	H	T	I	L			
	T	N	D	S	C	L	I	C	E	N	S	I	N	G
		R	I	I	T	C	T					S		
			O	R	N	S	O	R	L				P	
			S		N	A	E	A	R	A	E		A	
D	E			I	V	G	P	R	R	D	M	G	T	
W	E	N			T	O	E	M	E	T	I	M	M	T
D	I	T	J	S	I	T	R	O	G	N	N	E	E	
	N	D	A	O	L	L	E	B	C	E	O	G	D	N
		A	E	G	I	A	O	D	R		N	C	L	
			M	N	I	N	E	C	E	A		T		Y
				R	I	L	I	D		B	I		S	
		L	E	B	M	U	N	B	N	S		R	S	
				O	G	O	G	I			U	E		
				G	N	I	G	A	N	A	M		C	

Puzzle # 72
ASSORTED WORDS 72

	S	Y	N	C	H	S	B			G				
S	E	C	I	L	A	M	U	S	T	O	R	E	Y	S
	N					G			U					
L	S	O		N			A	T		T		M		I
V	I	N	I		E	S	B		S	I		O		N
	I	A	O	T	B	G	O			E		T		T
B		S	V	I	A	E	O	B		S	T	O		O
	R		A	E	T	S	S	L	M	T		R		X
		A		E	R	A	N	E	A	O		I	U	I
		V		D	P	X	E	E	H	C	S			C
		B	L	I	N	T	Z	E	D	C		T		A
C	R	A	Z	I	N	E	S	S	N	N	H			T
D	E	P	I	R	G			N	O					E
R	A	E	G	D	A	E	H			A	C			D
		D	E	R	E	H	T	A	G	R	O	F		

Puzzle # 73
ASSORTED WORDS 73

```
. . . . . . Y T I N U M M I
. . . S D E R B N I . . . .
. . E Z I N R E T A R F . .
S T F A R D S U F F U S I O N
N M F R E E L O A D E D . M
I Y L E T A R U D B O . . I
G . . M . R . . G . . . . N
H H . . B . . E . . O . . I
T . C . S E D A F . . F . S
C S T N I O P R E T N U O C T
A . . U . C E S S P O O L E
P . . T R U C K I N G C . R
S . G N I H C A O R C N E . I
. . . B M O C Y E N O H . A
. A T A M O H P M Y L . . L
```

Puzzle # 74
ASSORTED WORDS 74

```
C O N S T R I C T I O N S . .
I E C N E C S E R O U L F . .
. N . B S R E R E D N U A L O
D . T Y R E L L I T S I D P U
B E N E V O L E N C E . T T T
. S T P R . W . . . . O O L
. M N A R F P B . . . U M I
R U . O M I A R E W E H C A V
O G . . L I N C O A . H I I
W G N I S O L C E B T . N N
E L S . . C C E D O E . E G
D I . D . . I C S . S N .
. N . . L . E M A I L C .
. G N I T A T S R E V O . I
T R E A T Y B . . . S . . S
```

Puzzle # 75
ASSORTED WORDS 75

```
. S R E E D L L I K . . .
. L . . . E P O C H S . .
. . E . B . Y N O H P . .
. T S L A R R O C I . C .
. T S E . G L A X I A L O
E . S E T . U L S . . T R
. X . E N U S E A H . . R
G . U . I E C T S B E . E U
T L F D . N E E A . E S C C
. E I . E . N R X E . R T .
. L B . S . U G E R . I .
. M U B . K . F . . T O F
. I . A E . C O W H A N D S
. E . . P S . U . . . A E
. R . . . E T . D . . L .
```

Puzzle # 76
ASSORTED WORDS 76

```
. P L A T Y P U S P A P A C Y
. S R E L L I K N I A P . T
. . L U F E T A H . . . . R
E N T R A P P I N G . . . O
X X . . S E D A M E R . . U
P . H . . O V E R R U L E D N
A . . U . E V I T C E N N O C
N Y C A M I T N I A . . . E
D . . S R E F L O G O . . .
E . D E U C S I M . M . . .
D . . . C O M P I L A T I O N
S T N E V N I E R . L A D I T
. . . . . O N I M O L A P .
. . . . G N I T U O L C . .
. C O N F O R M E D . . . .
```

Puzzle # 77
ASSORTED WORDS 77

T	I	N	S	I	D	E	S	E	H	T	A	W	S		
	S	S	S	E	N	H	G	U	O	R					C
T		E	O	E	O	R	E	I	P	S	I	W	E		O
	N		I	R	H	G	E						X		N
C	E	E		C	B	S	N	T				T	C		
S	O	N	M	B	E	E	I	I	T			R	E		
T	E	M	O	H	R	E	T	M	M	A		O	N		
H		C	P	T	S	O	L	S	A	A	C	V	T		
I		V	S	O	S	I	G	F		F	L	S	E		R
N	O	S	A	E	S	D	N	A	R	B		F	R		A
L				L	R	T	A	A	N			S	T		
Y				V	O	E	E	B	S			I	I		
				E	U	D	H					O	N		
	D	E	T	A	N	I	L	L	O	P		N	G		
R	E	K	L	A	W	Y	A	J	F						

Puzzle # 78
ASSORTED WORDS 78

M	A	T	E	R	I	A	L							
	A	Z		H	E	C	K	L	E	S				
S	R	E	G	N	I	R	C			Y		N		
	R		R	K	S	R			F	F				
R	E	E	U	Q	I	S	A	S			O			
	D		C		P	M	T	T			R	O		
G		I		A	E	P		N	O		C		G	
	N		S	L		S	E		A	B	E		T	
	I		R		P		I	D		F	A		A	
		Y	D	E	L	Z	Z	A	D	E	B	J	D	
	N	O	T	E	P	A	P	E	R		L		P	
		R	R	U	S		P	E		O				
		I	A	T	U		P	L						
		D	F	E	A		A	E						
	R	E	N	E	W	S	C		S					

Puzzle # 79
ASSORTED WORDS 79

	O	V	E	R	B	U	R	D	E	N	S		R
E			S		Y	D			D				I
	M			E		G	U		I				P
	R	P			A	R	F	O	L	S			P
H	A		I	H		R	A	R	L	C			L
	A	P	M	C	A		G	M	N	A	O	E	I
		I	P	A	K	S	B	N	P	S	U	I	T	N
P	S		R	L	R	E	I	I	I	I	N	D	T	G
R	M	E	E	B	A	C	D	Z	K	M	T	E		E
E	O		S		R	U	H		E	E	M	E	R	Y
P	I		S	I		U	D	E			R	I	
P	R		E		O		S	S	R			R	
I	E		D			N		H					
E	S			M	O	N	E	Y	E	D			
S	W	A	Y	E	D	N	A	M	E	S			

Puzzle # 80
ASSORTED WORDS 80

T	E	S	A	E	R	C						I
	I		G		D	E	H	S	A	E	L		N
E		N		N			G					O	F
L	K	G		I			N					U	I
	Z	A	L	D	G		S	I				T	N
		Z	E	E	I	N	F	E	N	D	E	R	I
D	I	S	B	U	R	S	E	O		S	N		E	T
P			K	P	B	M	R	L			I	U	A	E
R	S	T	S	I	L	N	E		E	E		R	C	S
E			M		R	R			S	B		H	I
T			O		G		I			I		I	M
T			N		E			F	R	S	N	A
I			O		D			T		G	L
E			S	E	S	U	L	L	A	H	P
R	U	N	H	A	N	D	S	C	I	T	S	A	L	E

Puzzle # 81
ASSORTED WORDS 81

S		C	O	N	V	O	Y	D	E	T	S	E	U	Q
I	P		G						T	S	E	T	O	R	P
D	R	A	G	G	R	A	N	D	I	Z	E	S		
L	E	C			A					N				
I	F	O				B	S	G	N	I	W	S		
N	I	L					M					F		
G	G	L	J	A	U	N	T	I	E	R			F	
K	U	E	S	N	O	I	T	A	B	O	R	P	P	A
I	R	C				D	I	S	S	E	M	B	L	E
M	E	T	O	R	T	H	O	P	E	D	I	S	T	S
O	S	E	I	R	E	L	O	O	F	L				
N		D					S	E	L	D	D	O	C	
O		I	R	O	N	G	I	S	N	O	M	D		
			C	L	A	S	H					I		
	N	E	R	D	L	I	H	C	D	N	A	R	G	D

Puzzle # 82
ASSORTED WORDS 82

	D			K	N	O	B	B	I	E	S	T		P
N	O	E	D	O	L	E	K	C	I	N			T	E
P			K		Y	C			L				E	N
R	L		N		L	H				O			L	N
O	E	I		M	U	B	L	A			T		E	I
T	D	T	T		B	E	I	R				U	G	N
R	C	E	E	E		N	D	V	G				R	G
U	U	V	M	R			R	R	I	E			A	E
S	W		D	L	O	A	Y	E	U	O	C	R	P	C
I	E	O	Y	O	O	N	L	H	S	B	L		H	K
O		I	L	L	R	V	A	S	S	I	D	L	Y	O
N		K	L	L	P	E	V			A	R	N	S	S
S			S	O	O	Y		L				L	P	I
	T	N	O	R	F	F	B		A			F	P	W
		I	G	N	I	T	E	D		G				A

Puzzle # 83
ASSORTED WORDS 83

	M				D	E	D							
	E		D			E	X	E						
	N	B	P	R		M	N	E	L					
	T	L	E	I	I	S		A	I	C	B			
	I	E		E	H	B	E		R	O	R	B		
H	O	A		Y	P	S	L	K		G	J	A	O	
E	N	N			T	E	R	E	O	C	I	N	T	H
A	S	I	A	L	G	O	R	I	T	H	M	P	O	E
D		N				O	S	A	E	C		E	C	
W		G	O	D	L	L	U	B		E				
A	Y	L	G	N	I	R	E	E	J	K				
Y						E	T	A	U	T	N	E	V	E
			E	Z	I	L	A	T	R	O	M	M	I	
	I	N	T	E	R	P	O	L	A	T	E	S		
		G	N	I	L	O	B	M	A	G				

Puzzle # 84
ASSORTED WORDS 84

		S	L	L	I	F	D	N	A	L			Q	
			I		R			G	R	E	E	T	U	M
S			N			E	E	T	A	U	T	C	A	A
K			G			V		B					R	S
Y	F	P	E	S	G			A	E			T	R	Q
L		O	N	P		N			S			A	Y	U
I		L	U	I			I		Q	E		C	I	E
G	S	I	O	N				R	U		F	K	N	R
H	O	T	U	D	D	E	C	R	E	O	C	I	G	A
T	C	I	S	L		I	K	O	S	W		N	L	D
	I	C	N	Y		N	A	N		E	G		I	
	E	O	E				G	N	I		K			N
	T		S	R	E	K	C	A	L	S	C		S	G
	Y		S	P	E	L	L	E	T	E	D	A		
	I	N	T	E	R	V	I	E	W	E	E	L		

Puzzle # 85
ASSORTED WORDS 85

```
E . . . . G T N E M A M R A
. T . . . R O R P H A N S . S
E . I G R I E V O U S . . N Y
P . . R N . . H . O . . A P
I . . C Y A . . P . V . M H
L . . . A P M . R A . E . E O
O . . . P . E . A R . D S N
G S R E E D A L L A B G . A E
U . . S N O B B I E R E O K D
I . . . H C N I L C S . D E
N O I S U F N I . Y . S . S G
G F R I G H T S N O N N A C
. . . . S N A I C I T E I D
Y R E C A R T N E M S E N I L
I N T R I N S I C
```

Puzzle # 86
ASSORTED WORDS 86

```
. . . . C A V I T Y
. . C O N G R A T U L A T E D
M I . . E T A L U C I T R A . I
O N G B H S I R E H C . . S
T V . N A . E R E . . . T
E E . . I L G Z P I . . A
L S . . E T E N I S S . S
S T L E M S A F I D W S . T
K I T S G N A L U T I O O . E
I G F . E . E U L N U B M F
N A A . . H . P T L E Q . U
N T M . . S . . I E C I L
Y I O T U R B O P R O P S S L
. N U . . . . G . . A T Y
. G S R O T C I R T S N O C
```

Puzzle # 87
ASSORTED WORDS 87

```
. S E I R A M R I F N I . .
S T N I O P N I P
. . N . . S Y B A R I T I C
R . O A . S . N R E T T A L S
E . B . Z T L E . E
L . L . I A I T . H
I . E . D E N E V A R T N O C
N . B . A . G H E T . A
Q K N U P S P . O W D U . E
U C H A S E R T O C I R P A F
I . . . H R E N A B R U M
S . . A S Y M M E T R Y . A
H P O C K E T F U L S
R E T R O R O C K E T S
. . . L E T H A R G I C
```

Puzzle # 88
ASSORTED WORDS 88

```
. I S E H S O T N I K C A M .
. N D E Z I M I T I G E L
. T . T R O T A C I R B U L P
. G S R E T A W K A E R B . E
X S N E . R . . . H S . R
D I E I H . F . . E P . S
R F T L T N E . . S A . O
S A I A E I O R . I D . N
D . R T C I E L R O . T I . A
. E . E S U T R . T N A N F L
. N . P U R I C . C T G A S
. . N . P M C N . . E . B
. . . E V I C T I N G L L
. . . K . T . B I T T E N
. Y T L A R O Y A M . . S
```

Puzzle # 89
ASSORTED WORDS 89

S	S	R	O	V	A	S	K	C	I	P	D	N	A	H
W	Q				T	N	E	D	U	R	P	M	I	
O		U	I	T	E	M	I	Z	E	D				M
O			A			A	L	B	U	M	I	N	M	A
F			W		D			A	F			A		S
E	B		R	K	D			G				R	T	
R		A			E		I				G		Q	I
E		H	F			T	N					Y	U	C
L		A		F		I	N	G					E	A
E		P			L	V	J	U	N	I	O	R	S	T
G		P	S	C	R	E	W	S	L	I			S	I
A		I			S	D			B	W				N
T	S	E	S	I	C	M	U	C	R	I	C	E		G
E	S	R	E	P	E	E	K	N	N	I			T	
S	S	E	R	U	T	C	N	U	J	N	O	C		S

Puzzle # 90
ASSORTED WORDS 90

E	G	N	I	N	N	O	L	L	I	R	A	C		
O	L	D		A	S	L	I	N	K	I	E	S	T	
C		B	E		P								J	
E		C	A	K		P	W	A	F	T	E	D	U	
A	G	A	D	S	C		R					N		
N	V	N	M	O	S	I	S	O	M	E	T	R	I	C
O	A	N	I	S	O	E	R	R	P				O	
G	L	I	N	F	A	R	R	B	E	R	S	E	R	K
R	U	N	I		F	V	M	D			S	I		S
A	A	G	S			U	L	A	D		O	A		
P	B		T			B	U	T	A		O	T		
H	L	S	E	S	S	O	R	C	V	S			L	E
I	E		R	E	I	T	L	U	A	F	U	Z	E	D
C	F	I	E	L	D	E	R							
	D	S	E	G	A	M	M	I	R	C	S			

Puzzle # 91
ASSORTED WORDS 91

E		G	N	I	S	O	L	C	S	I	D		U	
	H	D	E	N	O	M	I	N	A	T	O	R	S	T
		T			I	D	E	H	C	N	E	R	T	O
			A		Y		C				P			
M			B		F		A	U			I			
D	U			N			I	T		A			A	
G	E	L	B	E	Q	U	E	A	T	H	S	B		N
R	N	P	U			S		A	U			E	S	
O		I	E	C	Y	T	I	L	I	B	A	S	I	D
T			M	N	I			L			E			
T			U	D	R	D	E	B	B	O	L	B		
O				S	E	R	T	O	N	T	A	H	W	
E				E	N	U								
S	G	N	I	D	A	E	R	T	C					
Y	T	I	R	A	L	U	G	E	R	R	I			

Puzzle # 92
ASSORTED WORDS 92

I	N	S	P	I	R	E	D	S	E	U	Q	R	O	T
					G	S	T	N	A	T	S	N	I	
P	D	I	S	C	O	N	T	I	N	U	I	N	G	
E			S	T	S	I	G	O	L	O	I	B		
R		H		B	S	Y	Y							
S		C	C		L	E	F	E				P		
I		U		U	D	A	T	F	G			R	F	
M	O	O	R	K	A	O	L	C	U	I	O		E	E
M		F		M	C	M	K	T	J	B	V	A		
O		E		I	Y	P	U	O	S		A	T		
N		W		C		E	A	S	U	A	I	H		
	S			I			L	R	T	T	L	E		
	N	O	I	T	A	L	U	M	E	L	O	E	S	R
	D	R	U	D	G	E	R	Y			A	D	R	
T	R	A	C	K	E	D					G	Y		

Puzzle # 93
ASSORTED WORDS 93

Y	L	T	N	A	V	E	L	E	R	R	I	
		A		R				S	R			
		Y			E			T	E	M		
D	D	E	K	N	A	L	C	T		I	P	U
R	I	B	E	H	E	S	T	S		U	P	E	T
	E	S	Z	B	S	G	O		C	P	A	I
J	L	T	M	I	A	E	O	L		L	L	
G	I	L	I	O	T	L	R	U	L	E	E	A
	N	N	I	L	D	I	D	I	R	A	D	T
	I	G	F	L	L	S	L	F	M	H	I	
	L	L	E	R	N	Y	S	A	S	O		
D	U	C	T	L	E	S	S	R	A	E	I	N	N
S	N	I	P	P	I	E	S	T	I	E	S	M	D
	G	N	I	R	E	D	R	O	B	E	E	
	F	I	R	S	T	B	O	R	N	S	D	

Puzzle # 94
ASSORTED WORDS 94

R	D	R	Y	L	S	U	O	P	M	O	P
G	E	A	A	E	G	H	R	O	T	C	E	R
N	K	N	P	E	H	N	E
S	I	L	I	O	R	B	C	I	L	G
T	N	L	D	M	T	T	R	N	I	A
O	G	R	E	A	H	E	A	W	C	B
R	S	R	A	L	X	E	R	E	O	A
M	H	Y	E	E	K	E	C	S	R	L
I	I	K	E	P	C	A	B	C	D	F
N	P	S	N	U	R	R	I
E	S	C	A	N	T	I	B	S	I	I	N
S	S	E	Z	Y	L	A	R	A	P	M	B	E
S	E	L	B	I	S	S	O	P	C	M	E	S	S
		D	I	S	L	I	K	E
	S	Y	E	B	O	S	I	D

Puzzle # 95
ASSORTED WORDS 95

D	E	Z	I	S	P	A	C	I	S
	S	A	L	E	R	T	E	S	T	I	T	O
	D	E	Y	O	V	N	O	C	N	E	C	L
S	C	A	I	N	A	M	O	N	O	M	D	M	A	E
	C	S	G	N	I	T	S	E	U	Q	I	I	P	N
	T	H	P	B	G	V	Z	T	O
	E	A	I	U	R	N	I	I	U	I
P	E	F	T	N	A	I	D	N	R	D
I	M	F	T	C	S	U	G	I	S
L	S	A	I	L	L	E	M	A	C	N
L	A	R	U	T	A	N	N	E	L	E	G
A	Y	L	L	O	G	C	I	R
G	B	O	O	S	T	H	S	C
E	S	E	T	A	U	T	N	E	V	E	M
S	H	A	D	E	S	L	E	V	E	H	S	I	D

Puzzle # 96
ASSORTED WORDS 96

S	C	O	N	V	E	X	E	D	F	W	L
W	E	O	S	E	L	E	L
A	N	K	M	E	L	F	A	S	C	I	N	A	T	E
M	C	A	M	A	B	D	E	R	C	M	P
I	R	D	F	A	D	A	E	U	T	H	A	R
E	U	Y	E	N	N	T	M	S	E	S	O
S	S	G	L	T	D	U	P	M	S	S
T	E	N	I	A	A	S	S	A	I	I	I
A	S	I	R	B	M	N	D	R	T	E
T	S	T	A	R	A	L	O	H	A	B	R
I	S	T	A	I	R	E	Z	T
M	O	T	T	L	E	B	R	T	C	I	T
S	N	E	E	R	U	T	W	N	A	N	U
S	T	R	I	N	G	I	N	G	E	O	X	G	B
Y	L	L	A	N	O	I	T	A	R	R	C	E

Puzzle # 97
ASSORTED WORDS 97

```
A I R T U N B . . . B D
S . . G N I Y D D E U O
. R Y S . Y . S . . R W
. S E L R . F G C E . R N
M C . G E E . A O A C . I P A
I O . Y N R O F S L L T T O M
D W . . A I U G U T O Y O U N
S L . C . W F M H E E R X R E
T E S C I M A R E C L N T . S
R D R T . P . T E D R L S S I
E . . U E O O . S T . U I . A
A . . D R R Y . A T . H N
M . . . I A G M . C U . C G
L Y R I C S T L A . . B
. . D E D E C N O C
```

Puzzle # 98
ASSORTED WORDS 98

```
P . D E . S L . . . O
A L S . E N T E O . . R
S . A M . A T S G A . . O
S . . N O . D H E D N . T
I . . . E R . P R R E I U
O . T . . R A B A O E W N . J
N . . F . C D C R N N T D G U
E U . . I O V A . O N I N . N
D R Z . . L E . . . W I N I K
R S E Z . O R . G . S N G E
. A E T L N T I R . . E G R
. V T U E E . A S C E N D S
. . E I N D . P U K C I P
. . . S P I D E S R O D N I
. Y O G I S M D
```

Puzzle # 99
ASSORTED WORDS 99

```
. S L A I C R E M O F N I T
. Y L B I T S U A H X E N I R
. . . R E F I R . . . N A
. G R A P P L E S K C I H D D
K . N I S U O C T R U M P E E
N R U O J O S . O T . . F M
O S E I R T N E S N L . I A
B . . D U N G E O N E D N R
B Y K C A W G N I G D O D I K
I E L B A T A L A P . . T T
E G N I Y P S N I A L P X E
S . M A N U M I T T E D S
T . . E Z I R O M E M
. E L B A R E V O C E R R I
. . Y L G N I D D I B R O F
```

Puzzle # 100
ASSORTED WORDS 100

```
T U O C S I S O I B M Y S .
C . . O C F O R E H A N D S .
. O . M R Y L I T S R I H T
. . D P I G . S A R D O N I C
. . E P . N G E D . A . . T
. . N P . . I N T V B . . R
. H . D L E . . V I Y I . E
. O . I E . N . O E L S . A
G U L A G S . D E . R I O E D
. S . . . T E E L F T D C S
S E M E N O H P . N Z Y . A
. B T R I S E C T S C Z .
. O T H R I V I N G . Y A
. A . . G N I R R E F E R .
E T O Y E P G N I N R E T . F
```

CPSIA information can be obtained
at www.ICGtesting.com
Printed in the USA
BVHW020714190123
656507BV00026B/102